Narratori

Michele Serra
Le cose che bruciano

© Giangiacomo Feltrinelli Editore Milano
Prima edizione ne "I Narratori" aprile 2019

Stampa Grafica Veneta S.p.A. di Trebaseleghe - PD

ISBN 978-88-07-03239-4

FSC
www.fsc.org
MISTO
Carta
da fonti gestite in
maniera responsabile
FSC® C021883

www.feltrinellieditore.it
Libri in uscita, interviste, reading,
commenti e percorsi di lettura.
Aggiornamenti quotidiani

IL RAZZISMO
È UNA
BRUTTA STORIA.
razzismobruttastoria.net

Le cose che bruciano

A mio fratello Guido, ai suoi ricordi ormai illeggibili.

Scaccia da me questo spino molesto: la memoria.

VITTORIO SERENI

Perché conservare le cose, tenere in archivio anche i sentimenti più intimi? Perché chiarire tutto, perché riportare tutto alla luce?

EDMUND DE WAAL, *Un'eredità di avorio e ambra*

1.

Un giorno di metà aprile

Dicono che mi sono rovinato con le mie mani. Non che io le sappia per via diretta, le cose che dicono. Ormai sono voci di rimbalzo, voci remote riportate dai pochi con i quali sono ancora in contatto. Ma il senso è questo: Attilio Campi è uno che si è rovinato con le sue mani.

Tutto dipende da che cosa si intende per rovinato. In questo momento sono alle porte del bosco, nello stillicidio lustro del dopo pioggia. Ho i guanti da lavoro nuovi, scarpe solide, un berretto di felpa che mi ripara dallo sgocciolio del fogliame. Sto aiutando Severino e la Bulgara a caricare i mezzi tronchi di rovere per portarli al riparo, nel loro fienile. La Bulgara è sul trattore e fuma una Camel. Io e Severino sistemiamo la legna sulla pala del trattore, e sono pezzi da settanta-ottanta chili ciascuno; dal taglio fresco stilla profumo. Sono assorbito dal movimento, dalla fatica ben temperata, dal ritmo che solleva e appoggia, solleva e appoggia. Respiro forte, a pieni polmoni. Forse stasera avrò un po' di mal di schiena. Ma forse no. Sono robusto e sano, ancora abbastanza giovane da potermi permettere certi sforzi con indifferenza. Ho appena compiuto quarantotto anni, non è l'età perfetta? L'aria è leggera, attorno, come la luce che la attraversa.

Dicono che avrei potuto diventare ministro. Forse anche capo del governo. Esagerano. Ministro magari sì, con qualche aggiustamento della mia attitudine a distrarmi durante le riunioni quando gli altri parlano a lungo. Capo del governo no di certo, troppa pazienza richiesta, troppa dedizione. Io sono troppo prepotente, per fare il capo. Dicono che della mia leva ero tra i più brillanti ma poi ho perduto l'occasione, perdendo anche me stesso. L'unica verità, qualunque cosa dicano, è che di me non sanno più niente.

Che cosa stia facendo, dicendo, pensando, grazie alla brusca interruzione della mia esistenza pubblica è tornato a essere affare mio e delle poche persone in carne e ossa con le quali condivido le giornate, così come è accaduto, lungo i secoli e i millenni, ai miliardi di umani per i quali il vivere e il morire sono rimasti rinchiusi nell'anonimato, come la perla nell'ostrica, protetti dallo scandalo dell'esibizione. Scomparendo agli altri mi sono reincarnato in me stesso, e a più di un anno di distanza la mia vita nuova ancora mi dà ebbrezza. La tipica ebbrezza dello scampato pericolo, quando ti volti indietro e pensi: ho rischiato grosso. Mi è andata proprio bene.

Per molti rappresentavo, nella mia vita precedente, un nemico da odiare oppure un modello da imitare. Ora rappresento molto di più: uno sconosciuto. Quando sono ben disposto verso me stesso penso di essere un uomo libero, e di esserlo nella forma più inespugnabile, la rinuncia alla fama e alle lusinghe sociali. Quando penso male, sospetto invece che la mia arroganza abbia scovato una via d'uscita facile quanto astuta: fuggire per levarmi dall'impiccio del giudizio, della competizione, della lotta. Per attribuirmi una superiorità mai più misurabile, custodita nel segreto della mia solitudine.

La distanza tra l'uno e l'altro tipo d'uomo, il fuggiasco vittorioso e il dimissionario soccombente, è notevole. Meglio non pensarci troppo. Anche per questo sono felice di caricare tronchi insieme a Severino, mentre la Bulgara fuma sul trattore. Qui a Roccapane la materia governa sullo spirito e lo spirito la asseconda come il più disciplinato dei servitori: quando il corpo esulta all'aria aperta, esulta anche lo spirito. A volte, lavorando, rimugino. Più spesso la mia mente è risucchiata dal piccolo vortice che si forma tra le braccia che lavorano e lo sguardo che le sorveglia. E non le restano tempo e spazio per pensare ad altro. Quasi sempre arrivo a sera stanco, e contento di esserlo. Mi addormento di schianto.

È vero, mi mantiene mia moglie. Ma anche questo, al netto di qualche momento di mortificazione, potrebbe fare parte del mio percorso di salvezza.

2.

Due settimane dopo, un pomeriggio di maggio

"Sono qui per parlarle dello Spirito Santo," dice il vecchio. Lo guardo senza rispondere, in piedi sulla soglia di casa, a braccia conserte, appoggiato allo stipite. Posa una borsa di plastica nera sul tavolo di pietra sotto il portico. È un bel vecchio secco e vigoroso, il mesto abito marrone da grandi magazzini gli cade addosso con una certa grazia. Camicia bianca, niente cravatta, le rughe sulla gola abbronzata hanno la dignità del legno.

Penso che non mi dispiacerebbe diventare come lui – fisicamente, voglio dire – al termine della prossima trentina d'anni. Magari dovrei mangiare e bere meno. Sempre che la guerra atomica, nel frattempo, non mi abbia incenerito insieme al mio colesterolo e a un paio di miliardi, almeno, di altri esemplari di homo sapiens di ogni paese e di ogni età.

La guerra, anche non atomica, è una delle mie fissazioni (non la sola). Mi cammina al fianco come se fosse la mia ombra. Non so dire se la presagisco, con l'impotenza succube del veggente posseduto dalla visione, oppure la penso (la desidero?) per mio vizio attivo, come il regista che immagina il suo nuovo film.

Non ne ho mai vista una se non in televisione, di guerra, come quasi tutti noi nati da questa parte del mondo, quella che ha il culo al riparo, che da almeno un paio di generazioni non ha mai sentito il fracasso di una colonna militare che imbocca proprio la sua strada, sfascia con i cingoli l'asfalto e si ferma, in uno spolverio pauroso, sotto il balcone di casa, a pochi metri dalla biancheria stesa; e il silenzio improvviso della colonna ferma è ancora più minaccioso del fragore sferragliante che l'ha preceduto.

Anche se, in un certo senso, sono uno che si aspetta da un momento all'altro la fine del mondo, non sono un menagramo, e nemmeno un depresso. Anzi, specie da quando abito qui, sono quasi sempre di buon umore: altrimenti non avrei aperto il cancello a un tizio venuto per parlarmi dello Spirito Santo.

"Lo Spirito Santo non è persona distinta da Dio," riprende il vecchio.

Evidentemente, l'incipit del suo disciplinare prevede che proprio da lì parta la nostra conversazione: *deve* parlarmi dello Spirito Santo. L'altra ipotesi è che lui sia, del suo reggimento di predicatori, quello fuori controllo, quello così zelante che invece di dire "buongiorno, come sta? come va la vita?", attacca direttamente con la disputa sulla Trinità. Lo guardo meglio: è davvero un bel vecchio, capelli argentei e occhi celesti, ha qualcosa di anglosassone che si addice molto al fervore religioso che lo sbatacchia su e giù per queste valli. O magari sono io che ho visto troppi film americani e associo ogni sermone biblico al tipo anglosassone. Fate conto un cugino prealpino di John Carradine, cugino molto alla lontana, si capisce. Un ramo minore della famiglia Carradine, così minore che i Carradine di Hollywood nemmeno lo sanno, di questo tizio qui. Un parente talmente poco illustre che si è dovuto accontentare di un doppiatore che parla con uno spiccato accento alto-lombardo. Potrebbe essere delle valli bresciane. Potrebbe essere Giuseppe Carradine, per gli amici Beppe.

Dunque sono qui, sulla porta di casa mia, in un bel giorno di primavera, di fronte a un membro della famiglia Carradine salito apposta fin quassù a spiegarmi che lo Spirito Santo non è persona distinta da Dio.

Per rendere un po' più gestibile l'assurdità della conversazione, tento la battuta di alleggerimento. "Quando dice che lo Spirito Santo non è *persona distinta*, intende dire che non è elegante?"

Beppe Carradine mi guarda interdetto. Non credo sia previsto, nel suo addestramento, che il catechizzato faccia lo spiritoso. Per non metterlo troppo in difficoltà (più di quanto già sia uno che si aggira per le valli su incarico dello Spirito Santo) cerco di mostrarmi meno sprezzante rispetto alla materia trattata.

"Mi scusi, sa, ma *persona*, riferita a Dio, è una parola che non capisco," dico al vecchio tentando addirittura di sorridergli. "*Persone* siamo io e lei, davanti alla soglia di casa mia. Come fa Dio, che è tutte quante le cose esistenti, a essere appena appena *una persona*? Quanto allo Spirito Santo, è un supplemento di fatica che non me la sento di fare. Già una conversazione su Dio, a quest'ora del pomeriggio, è molto faticosa. Non mi ci aggiunga, per cortesia, anche lo Spirito Santo. Non ho mai capito esattamente chi sia, o che cosa sia, e non avevo messo in programma di capirlo proprio oggi."

Ma il suo discorso procede per conto proprio, lungo il binario invisibile del dogma o sub-dogma che lo ha spinto a bussare alla mia porta.

"Lo Spirito Santo è la forza attiva di Dio, dunque lo Spirito Santo e Dio non possono essere due persone diverse, ma la stessa persona," riattacca Carradine piuttosto rinfrancato. (Come se non gli avessi appena detto, seppure in una forma estremamente cortese, "mi scusi, ma che cazzo sta dicendo?". Come se gli avessi appena detto, invece, "ma lo sa, caro amico, che mi interessa molto! Prosegua, la prego, mi illustri nei dettagli gli autentici rapporti tra lo Spirito Santo e Dio, che non sono mica quelli che la gente comunemente pensa!")

Lo guardo muto. Devo sembrargli ottuso; comunque impreparato. "Purtroppo voi cattolici non leggete più le Scritture," riprende il vecchio, più malinconico che contrariato. "Non sono cattolico," gli dico con decisione, avanzando di qualche passo verso di lui.

"Ah no? E allora in cosa crede?"

"Dipende dai giorni. A volte anche dalle persone che incontro. Se mi parlano dello Spirito Santo, tendo all'ateismo radicale."

Tace e mi guarda, non so se mi capisce; del resto, non è che io lo capisca benissimo.

Gli indico una sedia, pensando alla sua età. "Si accomodi, vado a preparare un caffè."

Rimane in piedi. "Non vorrei farle perdere tempo," dice in un rigurgito imprevisto di normalità.

"Ci metto un secondo. Per intercessione dello Spirito Santo, ho la Nespresso. Se preferisce, anche la moka, ma ci metterei un po' di più."

Quanto torno con i due caffè che traballano sul vassoio di latta ammaccata, il vecchio è seduto. Ha inforcato gli occhiali e sta consultando alcuni suoi libretti. Mi aspettavo che si stesse guardando attorno. Appena oltre la strada splendono i boschi rigurgitanti di verdi assortiti e di profumi nascenti; e addosso al portico le mie rose sono in gloria. Non saprei dire se in gloria per conto di Dio, dello Spirito Santo o di entrambi in un colpo solo (nel caso non fossero *persone distinte*); oppure semplicemente motu proprio, per il puro piacere di essere rose: è maggio, la primavera è al culmine, tutto sprigiona luce e speranza. Luce e speranza, indipendentemente da ogni possibile assetto teologico. E anche a dispetto della guerra, che si sta raggrumando come un temporale, dietro i monti, verso la pianura. Io la sento arrivare. Voi no?

Sono così innamorato di questo posto che, quando mi capita di condividerlo con qualcuno, quasi mi offende la sua distrazione. Mi chiedo se, nel paio di minuti in cui è rimasto da solo, Beppe Carradine abbia trovato il tempo di dare un'occhiata al mondo, che qui a Roccapane sa come farsi ammirare, oppure si sia immediatamente rifugiato nei suoi Sacri Opuscoli per ricavarne il modo di affrontare l'anomalia di questo pomeriggio: uno che invece di invitarlo a levarsi di torno lo ha messo a sedere sotto un bel portico, gli ha offerto un caffè e addirittura gli parla, sia pure con intenzioni non docili. Mentre lo guardo, dignitosissimo nella sua insensata pretesa di comunicarmi, rigo dopo rigo, quanto "sta scritto", ovvero quanto i Carradine hanno scritto di loro pugno nei secoli, trascrivendolo di Carradine in Carradine (chissà i refusi, le sbavature di inchiostro, le pagine invertite da un rilegatore distratto...), penso che nessuno al mondo abbia ricevuto più porte in faccia di un predicatore porta a porta. Questo lo colloca nel fitto novero degli ultimi, nei confronti dei quali – sta scritto – si deve avere compassione. E anche se non stesse scritto, perché la relativa paginetta è andata perduta in un trasloco precipitoso o distrutta in un incendio, o più banalmente perché un Carradine ipovedente ha saltato la frase, ognuno lo capisce benissimo per suo conto, che bisogna essere gentili con gli ultimi: basta guardare Beppe Carradine, la sua faccia esposta agli eventi, il suo triste vestito marrone.

Non so se si sia accorto che provo simpatia per la sua disastrosa incapacità di impostare una conversazione religiosa partendo con il piede giusto. Cioè dicendomi qualcosa di normale, di solidale, di empatico, e non scaraventandomi addosso una di quelle astrusità teoriche che rendono le religioni un esercizio per maniaci. Lo Spirito Santo! E poi? Il Serpente Piumato?

Lui comunque sembra avere ricaricato, nell'attimo di pausa, il suo fuciletto verbale, e fa fuoco con una stupefacente assenza di ritmo e di psicologia, come il trombettista pazzo che intona l'assolo un quarto d'ora prima che il sipario sia aperto, mentre sta ancora entrando il pubblico. E gli altri orchestrali, che sono in camerino e si stanno abbottonando la giacca, si domandano costernati: "Ma che cazzo sta facendo, quel cretino di Beppe?".

"Tutto inizia dal Padre," mi dice fissando i suoi occhi celesti in un punto del mondo non coincidente con me, "e il Padre è la Causa Prima, onnisciente e onnipotente ma non onnipresente, perché il suo corpo spirituale è in un luogo specifico."

Attimo di silenzio. Per dimostrare a Carradine che sono stato attento, potrei chiedergli se sa indicarmi almeno per sommi capi dove si trova questo "luogo specifico" nel quale risiede il Padre. Insomma, se esiste un indirizzo dove rintracciarlo in caso di bisogno. Ma sono già pentito di avere usato il mio sarcasmo poco fa. Il vecchio, pure se pronuncia parole terribilmente impegnative, parla come una persona semplice, con la cadenza ruvida di chi non ha avuto tempo e modo di levigare la pronuncia. L'esegesi delle Scritture, detta con forte accento delle valli bresciane, non acquista in credibilità. E poiché temo di avere passato la prima metà della mia vita in piena superbia – questo penso, mentre un venticello tiepido e gentile imbocca il portico e accarezza le rose –, non voglio passare nella stessa maniera anche la seconda metà. Se non altro, mi piacerebbe provare il brivido del cambiamento: anche per questo mi sono trasferito quassù. Magari non si diventa migliori per convinzione, ma per la noia di essere sempre uguali a se stessi. E dunque no, non devo assolutamente prendere per i fondelli Beppe Carradine.

21

Forse sta aspettando che dica qualcosa. Ed è meglio che la dica, prima che lui mi assesti un'altra strombettata biblica. "Il caffè si raffredda," gli faccio notare per prendere tempo. Convenevoli dello zucchero. Rumore grato del cucchiaino che gira tintinnante nella tazzina – uno di quei rumori quotidiani che ci accompagnano dalla nascita alla morte, piccoli concerti ignorati, è l'abitudine che ci rende sordi e ciechi. Carradine lo trangugia in un sorso: sembra ansioso di ricominciare al più presto la sua tiritera. Io bevo con più calma, guardando gli alberi che danzano lenti alle folate di vento. Poi appoggio la tazzina sul vassoio, mi alzo, faccio i dieci passi che ci separano, Beppe e me, dall'albero più vicino. "Lei sa che cosa è questo?" gli domando.

Mi guarda cauto, come se presagisse un contrattacco.

"...È una pianta," dice interdetto.

"Lo vediamo tutti e due che è una pianta. Ma quale?"

Non lo sa. Scuote il capo, un'ombra argentea. Ora mi fissa.

"È un carpino," gli dico. "E questo albero qui accanto?"

Non lo sa. Continua a fissarmi.

"È un sorbo montano. Vuole che glieli dica tutti?"

Adesso sorride. Un paio di denti sono anneriti. "Mah, se ha del tempo da perdere."

Leggo nel suo sguardo chiaro, fin qui esentato da ogni espressione, un guizzo di divertimento. Sta cominciando a classificarmi come un tipo eccentrico, dunque mi guarda come si guarda un tipo eccentrico. In fin dei conti, avere a che fare con un tipo eccentrico lo solleva almeno in parte dalle sue incombenze. Il coefficiente di difficoltà, nella conversione di un eccentrico, è di sicuro più elevato del normale. Carradine starà pensando: uno che passa bruscamente da una conversazione sulla Trinità al sorbo montano dispone senza dubbio di una mente vacillante. E come faccio a illuminare un mattoide? Poi, forse per stabilire almeno un minimo di complicità, mi dice di conoscere il cipresso. Gli faccio presente che il cipresso non vale, quello lo conoscono anche i bambini. Il cipresso, la palma e l'albero di Natale non valgono. Gli alberi sono una cosa seria, migliaia di nomi, migliaia di forme.

Al momento la situazione è questa: un tizio che va in giro a spiegare che cos'è esattamente lo Spirito Santo si considera surclassato, quanto a stranezza, da un tizio che conosce i nomi degli alberi. Non sono sicuro che abbia torto; anzi, i numeri gli danno ragione, tra gli umani l'invisibile – anche nelle sue trascrizioni più fantasiose – è molto popolare e molto nominato, e non direi altrettanto del visibile. Moltitudini nominano ogni giorno Dio e assai di rado il sorbo montano, del quale nemmeno sospettano l'esistenza; relegandola, nel caso la sospettino, tra le pedanterie scientifiche. Anche perché nominare ogni cosa, essendo le cose moltissime, richiede uno sforzo molto superiore che dare il nome a Dio, che – sta scritto – è uno solo. Dunque Beppe Carradine sta cercando di ricondurmi, alla sua maniera e secondo i suoi codici, alla pratica di interpretazione del mondo più diffusa: nomina Dio e non ti servirà più nominare nient'altro. Ed ecco che all'improvviso vedo in Beppe Carradine non più uno sparuto catechista di qualche Chiesa, magari negletta e perseguitata, ma un inviato della Maggioranza, uno che – come moltissimi, come quasi tutti – è convinto che conoscere il creatore dispensi dalla fatica di conoscere il creato.

Il mio modo di considerare il vecchio cambia in pochi secondi – il tempo di un'intuizione: sono certamente *io*, non lui, la minoranza che fatica a farsi capire. Anche il mio umore sta virando. Non ho mai avuto buon carattere. Riprendo a parlargli con una certa energia, forse una punta di animosità. "Non sono un botanico, e d'altra parte lei non è un teologo, caro signore. Avrei dovuto dirle da subito che mi occuperò dello Spirito Santo solo dopo che avrò imparato il nome di tutti gli alberi e le piante qui intorno. Non prima. E me ne mancano almeno la metà. Dunque, se le fa piacere, torni tra una decina d'anni. Forse li avrò imparati tutti. Nel frattempo devo ripassare la materia. Arrivederci."

Il vecchio mi guarda senza ostilità. Con una specie di rassegnazione, come se lo avesse capito da subito, Beppe, che io, quanto a conoscenza della Trinità, sono un caso disperato. Si alza, rimette i suoi libretti nella borsa nera, si abbottona la giacca per darsi un contegno e nascondere il lieve imbarazzo. Gira le spalle e si allontana verso la sua macchina, un paio di curve a valle. Ma fatti pochi metri si gira, mi guarda mentre lo guardo dalla soglia di casa, nella stessa posizione nella quale l'avevo ricevuto, appoggiato allo stipite. Mi dice:

"Lei, signore, non ha nessuna umiltà".

Come se non lo sapessi già da me.

3.
Cose avvenute nel tempo precedente

Il mio lavoro, prima di venire quassù, era l'uomo politico. Dopo una rapida carriera (preceduta da altre rapide carriere nel ramo della ristorazione e dell'editoria, poi concluse nel nulla), appena nominato presidente della Commissione Educazione e Cultura, elaborai la mia prima e ultima proposta di legge: la reintroduzione dell'uniforme obbligatoria nelle scuole pubbliche di ogni ordine e grado. Un'idea fantastica, lo so. Ma la proposta venne giudicata anacronistica e inopportuna dal mio stesso partito, e cassata senza nemmeno essere discussa in parlamento. Diedi le dimissioni e sparii dalla scena prima che la mia nascente fama di stravagante diventasse un problema per il partito che mi aveva chiamato a quel ruolo.

Se c'è una cosa che non sopporto, e soprattutto non merito, è essere considerato un anticonformista. Quelli che se la passano da anticonformisti sono milioni, in questo paese. Fanno parte anche loro della Maggioranza soverchiante – come quelli che credono in Dio. Se avevo proposto l'uniforme per gli studenti era proprio per rimediare a quella forma subdola di banalità che è l'anticonformismo: mettiti addosso questa, ragazzo, così per un po' non devi più perdere tempo a distinguerti a tutti i costi. Puoi pensare veramente a chi sei e a chi vorresti diventare, non a quale felpa metterti. Ma era troppo faticoso spiegarlo, ammesso che fosse ancora possibile farlo nel bel mezzo del fracasso istantaneo, e bestiale, scatenato dalla mia proposta.

Nella sterminata assemblea di sedicenti chiamata "rete", manipoli ostili mi chiedevano se intendevo introdurre nelle scuole, oltre all'uniforme, anche il passo dell'oca. Parlo dei più evoluti, naturalmente, quelli in grado di modulare il disprezzo secondo rudimentali categorie politiche. La maggior parte dei miei nemici era molto più rozza, e incredibilmente poco addestrata alla polemica nonostante la partecipazione fissa a quel genere di risse e di linciaggi, come se lanciare merda non potesse diventare, alla lunga, una disciplina degna di qualche talento. Tanto da poter dire: dagli e ridagli, sono diventato un vero e proprio fuoriclasse nel lancio della merda. Come lancio la merda io, non la lancia nessuno. Ma no, la maneggiavano senza alcuna destrezza, come se ogni volta fosse la prima volta, e la merda – la *loro* merda, per giunta, mica la mia – un materiale sconosciuto.

Io, sventurato, risposi. A uno dissi che promettevo di ritirare la mia legge a patto che lui si iscrivesse a una scuola serale di italiano. A un'altra, che negavo diritto di opinione a chi si firmava Punky Panky. A un altro ancora, che per tenere insieme i suoi pensieri non sarebbe bastata un'iniezione di calcestruzzo. Eccetera. Credo di non avere contribuito a moderare il tono del dibattito.

È stata comunque un'esperienza formativa. Anzi: decisiva. Accadde questo, che nel mio febbrile rispondere a tutti, digitando molte ore al giorno e sovente anche di notte, ribattendo punto per punto e parolaccia per parolaccia in modo che il mio punto fosse meglio definito e la mia parolaccia meglio tornita, afferrandomi al bavero di chi aveva afferrato il mio, sputando ira, masticando rancore, meditando rappresaglie, misi su in pochi giorni un'aggressività furibonda, da tacchino in calore, che mi gonfiava il petto fino al parossismo.

Finché, quassù a Roccapane, un paio di anni fa, in una notte difficile – non riuscivo a prendere sonno, tanto ero furibondo con i miei linciatori – uscii sul prato e mi sgonfiai. Senza averlo voluto né previsto, nel fresco delle tenebre avvertii come una meravigliosa decontrazione di tutto il corpo. Sfinito dalla tensione, il mio corpo aveva stabilito da solo che era indispensabile allentarsi, ritrovare morbidezza, liberarsi dal rissante che lo abitava, ovvero me. Respiravo di nuovo, non per merito mio ma respiravo come se avessi appena cominciato a farlo, respiravo così bene che mi resi conto non essere stato respiro il soffio rancido degli ultimi giorni.

Fu una delle prime volte, quella, che considerai il corpo più intelligente dell'anima, o come volete chiamarla. Più saggio, più prudente, più capace di stabilire che cosa conta e che cosa no. Il mio corpo mi soccorse, il mio corpo mi salvò.

Non dimenticherò mai quella guarigione. Un improvviso volo di barbagianni, così calligraficamente candido nella notte nera, firmò l'armistizio tra me e la mia necessità di avere ragione, e di doverlo per giunta dimostrare a tutti. Fu inevitabile mettere in relazione il prato, le tenebre, il barbagianni, il profumo muscoso che risaliva dal bosco ad accarezzarmi le tempie, con quella liberazione improvvisa: mi sembrò lecito stabilire un nesso tra questo luogo e la mia salvezza. E per esteso, tra la natura e la mia salvezza. Se fossi dogmatico come Beppe Carradine aggiungerei: tra la natura e la salvezza di *tutti*. Ma non sono come Beppe Carradine, preferisco parlare solo a nome di me stesso.

Fu dopo quella notte che cominciai a salire sempre più spesso a Roccapane, fino a farne la mia sola vera casa. E a partire da quella notte non ho mai più risposto agli attacchi e alle dicerie dei digitanti, un fiume che continuava a scorrere, e certamente scorre anche adesso, ma lontanissimo dalla mia vita. Il fiume di un altro pianeta, che a dispetto della sua imponenza è impercettibile, ininfluente. Come se non ci fosse. Contavo sul fatto che, dimenticandomi dell'odio, l'odio si sarebbe dimenticato di me. Ha funzionato. Rifletto spesso sulla semplicità, e al tempo spesso sulla formidabile efficacia, di quella mossa: per cambiare vita e umore basta non mettere mai il proprio nome in un motore di ricerca. Appuntatevelo bene: *Non mettere mai il proprio nome in un motore di ricerca.*

Quanto all'uniforme per gli studenti, coltivavo l'idea già da parecchio tempo. Mi era capitato, in un paio di città del Nord Europa, di imbattermi in qualche scolaresca in divisa, all'uscita di scuola o per la strada o in visita a un museo. Non so se fosse solo un effetto ottico o se davvero indossare un'uniforme implichi un comportamento più ordinato, fatto sta che mi sembrò che i ragazzini mantenessero un aplomb ammirevole per quell'età. E mi piaceva l'espressione anche visiva di una comune appartenenza, con comuni doveri e comuni regole, che andasse a scapito dell'individualità – ogni uniforme esattamente questo dice: tu non sei solo tu. Sei molto di più.

Quelle uniformi, quell'unico vestito replicato per chiunque, mi sembravano in pieno contrasto con la sensazione di sbriciolamento che la società umana mi comunicava e tuttora mi comunica. Siamo a un passo dalla Terza guerra mondiale, non so se ve l'ho già detto. Fu così che cominciai a lavorare attorno a quell'ipotesi – uniforme in tutte le scuole – e a parlarne con i membri del partito di maggioranza, con gli amici, con chiunque volesse confrontarsi su questo appassionante tema: se la società degli uomini sia ancora disciplinabile, magari addirittura migliorabile, oppure vada serenamente lasciata alla sua naturale deriva; e se costringere un paio di milioni di ragazzini e di ragazzoni a levarsi di dosso braghe ammaccate e magliette spiritose per indossare tutti la stessa giacca e la stessa camicia non potesse aiutarli, poveri figli, a ridare significato alla parola "comunità", e attraverso quella a se stessi.

La prima reazione era sempre di stupore, come se mi stessi impicciando di faccende altrui: perché mai un tema così tipicamente conservatore – ordine e disciplina – appassionava tanto uno stimato membro del fronte progressista? Con tutti i problemi che abbiamo... Mi dicevano: una società libera è fatta di persone capaci di autodeterminarsi. Perché, caro Campi, vuoi intruppare i ragazzi come militari? Purtroppo la parola "militari", invece di funzionare da deterrente, rischiava di allargare a ulteriori fasce anagrafiche e ad altri ambiti la mia simpatia per le divise. Era stato abolito da qualche anno il servizio militare di leva e la decisione mi era sembrata sconsiderata, una vera e propria mazzata alle basi della società. Allora mi ero guardato bene dal dirlo, per quieto vivere, per pigrizia; e ancora meno opportuno mi pareva dirlo adesso, da firmatario della legge sull'introduzione delle uniformi nelle scuole, per evitare di sembrare una specie di maniaco della disciplina, uno di quegli anziani borbottanti che lamentano la deriva dei tempi, la maleducazione dei giovani e il fatto che nessuno ceda più il posto sugli autobus alle donne gravide. (Non prendo l'autobus da parecchio tempo, tra l'altro. Non ci sono autobus, qui a Roccapane. Dunque dovrei usare cautela nell'adoperare proprio questo genere specifico di lamentela, riguardo al degrado dei costumi.)

Ma l'uguaglianza è democratica, replicavo ai miei critici, e la divisa esalta l'idea di uguaglianza. Tutti vestiti alla stessa maniera almeno a scuola, almeno negli anni, determinanti, della formazione. Ci sarà poi modo, nella vita, di distinguersi, ci penseranno la divisione di classe, la provenienza sociale, l'indole personale, la fortuna, il caso... Perché non dare ai ragazzi, per qualche anno, la possibilità di muoversi e incontrarsi su un terreno neutrale, *come se davvero fossimo tutti uguali?*

Mi guardavano con sorridente comprensione. Dietro la quale si leggeva compatimento. Immagino che qualcuno sia arrivato a pensare che la mia mania per le uniformi derivasse da qualche devianza sessuale – adescatore di coscritti in libera uscita? feticismo per le vigilesse, o le cameriere con crestina e polsini inamidati? Fino a che, dopo un paio di settimane di polemiche pubbliche quasi mai compatibili con il loro oggetto (quasi tutti parlano quasi sempre d'altro), la ministra in persona mi convocò nel suo studio.

Era una ministra giovane e seria. Aveva una decina d'anni meno di me, circostanza che mi indispettiva anche se lo negavo a me stesso. I giornali e la televisione se n'erano occupati soprattutto per una certa avvenenza, non vistosa ma indiscutibile, e una gravidanza portata senza falsi pudori e svenevolezze fino alle stanze del potere. Molto contemporanea, lei. Io, di me, davvero non saprei dire.

Mi fece una specie di maternale, come se fosse più esperta e più saggia di me, ribaltando le gerarchie anagrafiche però con la soavità invincibile di certe femmine. Mi disse, parlando a bassa voce, che l'idea di mettere i ragazzi in uniforme conteneva, a dispetto delle migliori intenzioni, qualcosa di rigido, qualcosa di impaurito, e che "noi" non potevamo alimentare la paura. "Noi", anzi, eravamo al lavoro per sconfiggerla, la paura, per dare fiducia ai cittadini, prima di tutto la fiducia nella libertà. "La libertà ha un prezzo," mi disse sorridendo la ministra, "e il prezzo è avere fiducia nei cittadini." (Era fantastico come pronunciava la parola "cittadini", pareva che qualcuno ne avesse ripulito le lettere una per una, si capiva che ai cittadini teneva veramente. Com'era bella, la ministra, quando diceva "cittadini"...)

Credo di averle risposto che una società meglio ordinata ha maggiori probabilità di sentirsi più fiduciosa, meno impaurita e dunque più libera; insomma, provai a dare una forma politica (improvvisando abbastanza) a ciò che, dopotutto, sapevo essere solamente una mia personale convinzione. Lei me ne parlava, difatti, come se stessimo discutendo solo di una mia personale convinzione, non di un vero e proprio progetto politico. Presi atto che per fare politica bisogna essere capaci di far credere agli altri che le proprie personali convinzioni costituiscono un'evidente urgenza pubblica. Una fatica bestiale, insomma. E una pazienza a prova di bomba. Capii in quel momento, precisamente in quel momento, che non sarei mai stato un bravo politico e mi congedai dalla ministra con la maggiore affabilità possibile.

Mi resi conto, mentre la salutavo con una stretta di mano, che la sua persona mi interessava più delle sue idee, e quasi me ne vergognai. Scendendo in fretta, con la lieta leggerezza del fuggiasco, i gradini dello scalone ministeriale, mi chiesi se fosse corretto, trattandosi di una donna, non riuscire a separare il suo ruolo, e le sue parole, dalla figura snella che mi accompagnava alla porta, e dai suoi occhi grigi con qualche paglia d'oro. Mi assolsi valutando che di tutto e di tutti – non solo delle donne – ultimamente coglievo soprattutto l'evidenza fisica. Quasi soltanto quella. Femmine, maschi, animali, montagne: li misuravo con gli occhi e mi veniva voglia di toccarli.

Anche Beppe Carradine avrei avuto voglia di toccarlo, per capacitarmi se la sua gola rugosa avesse davvero la consistenza del legno. A maggior ragione mi era venuta voglia di toccare la ministra, che era giovane e lucente, ma più per la contentezza di sentirla presente che per eros. A meno che l'eros sia la contentezza di sentire presenza. Se è quello, l'eros, io sto vivendo il momento più erotico della mia vita, sebbene il livello di testosterone, statisticamente, sia declinante.

4.
Una cosa che sta per accadere

Dice Severino che ha cinque o sei pertiche di terra libere. "Se hai voglia puoi provare a lavorarle tu, così almeno impari un mestiere." Ride, crede di avere fatto una battuta, non sa quanto avrei davvero bisogno, invece, di imparare finalmente un mestiere che non sia occuparsi del destino del mondo blaterando per ore in qualche riunione, come mi è capitato di fare troppo a lungo. Difatti gli rispondo: "Le lavoro volentieri, le tue pertiche. Però mi devi spiegare bene che cosa devo fare. Lavorare con le mani, per me, è una benedizione. Non ho bisogno d'altro, in questo momento della vita. Davvero. Se poi ci guadagno anche qualcosa, è il massimo".

La cosa bella di Severino è che ha accolto senza fare una piega la mia decisione di abitare qui. Non mi ha fatto domande, non ha manifestato sorpresa. Non gli ho mai sentito dire una sola parola di contrarietà oppure di approvazione. Come se non ci fosse niente di insolito, o di stravagante, nel fatto che un tizio che sei abituato a vedere in televisione a un certo punto scompare dalla televisione, riappare a cinquecento metri da te e comincia a parlare con te, lavorare con te, mangiare con te.

Non sarò mai abbastanza grato a Severino (e anche alla Bulgara) per avermi fatto sentire, fin dal primo momento, un legittimo abitante di Roccapane. Non un pazzo, non un profugo, non un eccentrico. Semplicemente, uno che voleva stare qui. Ero sicuro di dovere affrontare un periodo di inserimento in questa piccola comunità, il tempo necessario per rendermi bene accetto agli indigeni valutando qualche mossa, calibrando qualche parola. Ero anche disposto a imparare il tressette, che è il gioco più praticato in zona. Non ce n'è stato bisogno. Meglio così, il tressette è una trappola, mi seccherebbe molto venire battuto senza scampo da uno dei vecchi sdentati che vanno per la maggiore al bar del paese.

Siccome Severino è tutt'altro che stupido (ne ho le prove), è da escludere che gli sia sfuggita la qualità – e se volete la gravità – della mia scelta. Sa bene che quello che carica i tronchi sul trattore insieme a lui e alla Bulgara ha tenuto un paio di discorsi in parlamento. Questo significa che Severino considera il taglio della legna e il lavoro nei campi ugualmente dignitosi e ugualmente importanti di una carriera da ministro. E anzi, credo sia convinto che i ministri perdano qualcosa di notevole, svegliandosi ogni mattina lontano da qui.

Se tutti fossero come lui, il servilismo e la soggezione sociale sarebbero cancellati dalla faccia della Terra in una settimana. Passasse da queste parti la regina d'Inghilterra, con codazzo di dignitari e guardie del corpo, Severino, affacciandosi dal suo trattore, le direbbe: "Maestà, che diavolo ci fa, qui a Roccapane? Mi dispiace non avere abbastanza sedie anche per i suoi amici, ma se vuole ho del minestrone sul fuoco, a casa mia, e un salame che sveglia i morti". Più o meno così, direbbe Severino alla regina d'Inghilterra. E la regina, dopo avere attentamente ascoltato l'interprete – un po' in difficoltà con la traduzione di "salame che sveglia i morti" –, sarebbe molto dispiaciuta di dovere rifiutare, per via del protocollo. Ma dall'atteggiamento di Severino, dalla cordialità paritaria con la quale si sporge dal trattore, dall'ammirevole disinvoltura, la regina capirebbe subito, come è capitato a me, che Severino è la persona più simile a un principe che possa capitare di incontrare, in giro per il mondo.

Potrei a questo punto fare una lunga digressione sulla mia idea che il mondo sia diviso, in linea di massima, in due sole classi sociali: i nobili e gli ignobili. E che questa divisione abbia ben poco a che fare con il sangue e con il censo. Ma sarebbe un discorso troppo lungo. Quasi tutti i discorsi, quando li faccio io, rischiano di diventare troppo lunghi. Dev'essere una specie di sindrome innata, che la politica aveva molto aggravato. Anche per questo è meglio che io abbia abbandonato la politica.

"Si potrebbe provare con i noccioli. Oppure con lo zafferano," mi dice Severino. E aggiunge: "Lo zafferano è bellissimo da vedere. E rende bene. Però richiede un sacco di lavoro. Devi tenere pulito il campo. Sempre ben drenato, per evitare i ristagni d'acqua. Per questo è meglio un campo in pendenza, come il mio. Devi interrare i bulbi in estate. Poi, quando raccogli i fiori, a fine ottobre, devi staccare con le dita quei cosini rossi...".

"I pistilli?"

"Non i pistilli. Quegli altri..."

"Gli stami?"

"...gli stami, e farli essiccare. Sempre che non siano arrivati i cinghiali, o l'istrice, a mangiare i bulbi. Dunque, è meglio recintare. Altro lavoro, altre spese."

"E i noccioli?"

"Meno lavoro e meno spese. Ma almeno tre o quattro anni prima di fare un raccolto decente. Con lo zafferano invece cominci a vedere subito, già al primo anno, qualche quattrino."

"Zafferano, allora! Zafferano! Qualche quattrino! Evviva qualche quattrino!"

"Hai tremila euro?"

"Dovrei averli."

"Io ci metto gli altri tremila. Settimana prossima andiamo a comprare i bulbi. Nel frattempo prepara il campo e tienilo pulito. Se hai voglia di lavorare con le mani, lo zafferano è stato inventato apposta per te. Non esiste macchina che possa separare i pistilli..."

"Gli stami."

"...gli stami senza rovinarli. Insomma, tutto con le mani, anzi con le dita. Hai presente una rottura di coglioni?"

"Ho presente. Non vedo l'ora."

"Allora, affare fatto. Io e la Bulgara ti daremo una mano, ma il grosso lo devi fare te. Poi, siccome il campo è mio, con i soldi del raccolto facciamo metà per uno."

"Cioè: il lavoro è mio e tu ti pigli la metà del raccolto?"

"Sì, di solito funziona così. Sarai mica comunista?"

"Dipende dai casi. Nel tuo caso, chiuderò un occhio."

"Guarda che anch'io, nel tuo caso, ne ho chiusi parecchi di occhi."

"Bene, allora siamo pari. Come lo chiamiamo, mutuo soccorso?"

"Si chiamerebbe mezzadria, se ti fa piacere dare un nome alla faccenda. Ma per adesso, per carità, non mettiamoci a firmare scartoffie. Facciamo da amici. Da vicini di casa. Se ci mettiamo da subito nelle maledette scartoffie, ci passa la voglia a tutti e due."

Tornassi mai in politica, a parte la legge sulle uniformi nelle scuole (della quale, nel frattempo, tutti avranno colto il grande valore), penso che dovrei studiare anche una legge per la semplificazione dei rapporti economici tra vicini di casa.

5.

Cose che avvengono nel tempo presente

Faccio il verso del rigogolo. Scalzo, con le mani in tasca, sul prato davanti al bosco. È un fischio di tre-quattro note, l'ho imparato dall'orologio a muro che mi ha regalato mia moglie Maria. Allo scoccare di ogni ora emette il canto di un uccello. Dei dodici il rigogolo è il mio preferito. Il suo linguaggio è squillante, ma non assertivo. È una sequenza di soli punti interrogativi. Se vi capita di sentire, in mezzo a un bosco, una sequenza di punti interrogativi, sappiate che è il rigogolo.

Ho imparato a imitarlo alla perfezione, tanto che il rigogolo, dal profondo del fogliame, a volte mi risponde. Si fa udire rimanendo nascosto, il giallo eccessivo del piumaggio potrebbe tradirlo. È tra gli uccelli più vistosi, ma tra i meno visibili. Però loquace, anche se di noi due è solamente lui (lei?) a sapere cosa ci stiamo dicendo. Forse una trattativa territoriale: io sono qui, tu bada bene a rimanere dove sei. O un richiamo erotico: io sono qui, forse potremmo combinare. Oppure, se è corretta la mia interpretazione del rigogolese come una domanda ininterrotta, la trascrizione potrebbe essere il classico dialogo tra sordi: dove sei? eh? come hai detto? sei sicuro? che fai? puoi ripetere? sarebbe a dire? È questo che ci diciamo, almeno credo, io e il rigogolo.

Un frullo leggero mi fa capire che la conversazione è finita, l'uccello si è allontanato, sta andando a questionare da un'altra parte. È appena un battito d'ali che fa vibrare le foglie attorno, ma lo distinguo bene. Ho la sensazione che il mio udito raccolga fedelmente soprattutto i rumori della natura, consegnandoli intatti al cervello. Non altrettanto le voci umane. Una possibile spiegazione è che la maggior parte delle voci umane mi arriva relata da qualche apparecchio elettronico, lo smartphone o la televisione, mentre le voci della natura sono dirette. Nessuna intermediazione. Più o meno la stessa differenza che separa il sesso in carne e ossa dalla pornografia, ovvero la vita materiale dalla riproduzione forsennata che gli uomini ne stanno facendo – come se della materia avessero spavento, e sperassero di poterne fare finalmente a meno. Perché la materia si corrompe e alla fine si disfa e muore. Dev'essere per questo che a molti esseri umani fa abbastanza schifo averci a che fare.

Io invece, da quando abito quassù, di sola materia riesco a vivere. La consistenza delle persone e delle cose, degli animali e degli alberi, la loro luce, il loro odore, il suono che fanno al vento. È quanto *riesco* a capire del mondo, avrei detto fino a poco tempo fa. Ora preferisco dire: è quanto *voglio* capire del mondo.

Sono sempre stato un tipo poco metafisico. Da un po' di tempo per niente, proprio zero. E a questo addio definitivo a ogni congettura sull'inconoscibile ha contribuito in modo decisivo il mio abbandono della politica. Direi che la politica, con le sue presuntuose divinazioni sul destino degli uomini, è la branca della metafisica che mi è toccata in sorte nella prima parte della mia vita. Ho capito che non fa per me.

Alle mie spalle, dentro casa, un notiziario sta sgranando il suo rosario quotidiano di catastrofi, tutto ciò che disordina il mondo però ben riordinato nella struttura a rullo delle news. Anche se azzero il volume e me ne esco in giardino, ho talmente introiettato la sequenza ossessiva delle cattive notizie che sento girare, come un motore di fabbrica, quell'implacabile rotolo di violenze, sangue, guerre, scannamenti, arresti, processi, stupri, inframmezzato da uomini in cravatta e signore in tailleur che si radunano, nei palazzi del mondo, per cercare di governare il caos, o fingere di poterlo fare.

La televisione è quasi sempre accesa, quando sono in casa, come un focolare che mi sento in obbligo di non lasciare estinguere anche se ha perduto gran parte delle sue funzioni pratiche – ci si informa, sempre che ci si voglia informare, su rettangoli luminosi più piccoli e trasportabili. Spesso inascoltata e inosservata, è un bagliore di fondo, forse in affettuosa memoria del mio passato, quando anch'io vivevo dentro il tumulto del mondo. Dentro quel rullo. Così dentro che a un certo punto ero diventato uno degli uomini in cravatta che stringono mani e pronunciano parole rassicuranti, facendo finta di avere in pugno la situazione; poi il corso delle cose, per la mia e l'altrui fortuna, mi ha portato altrove.

È evidente, ripensandoci adesso, che la mia proposta di legge sull'uniforme obbligatoria nelle scuole di ogni ordine e grado aveva lo scopo recondito di mettermi in urto con il mio partito; e perché fosse un urto irreparabile, la legge doveva essere irricevibile. Cioè troppo giusta e ingegnosa per essere applicata. Lo capirebbe anche il più scadente degli psicanalisti, dunque, che proponendo quella legge, e proprio quella, stavo semplicemente cercando un nobile pretesto per rendermi insopportabile, e levarmi di torno.

Non ho niente – voglio che sia ben chiaro – contro quegli uomini in cravatta e quelle donne in tailleur. Al contrario: ne ammiro la disponibilità e lo spirito di sacrificio. La sete di potere e la vanità sono un motore potente, ma il peso dell'esibizione è spaventoso, e quando a notte fonda appoggi quelle cravatte e quei tailleur sulla sedia accanto al letto ti rendi conto che sono solo poveri stracci di rappresentanza. Tali e quali le braghe bucate e sporche di letame di Severino.

Che qualcuno ci provi, a fare politica, è commovente. Nessun sarcasmo: "commovente" è la parola giusta. La politica è commovente, e commovente è chi fa politica, dal primo dei capipopolo all'ultimo dei traffichini. È il frettoloso malanimo degli sceneggiatori di fiction, o il moralismo strappapplausi dei giornalisti, a rappresentare il potere come un luogo sordido e guasto, ma non è più sordido e guasto di tutto il resto. È solo più esposto.

Più mi sento disertore, lontano da quel mondo e felice di esserlo, e imbarazzato da una felicità così riparata e solitaria, più provo riconoscenza per chi è rimasto in quella canea – al posto mio – a inanellare sconfitte e a lottare contro ciò che ci sovrasta. Il disordine sta avendo il sopravvento, squassa le fragili strutture che ci siamo dati, le colpisce dall'esterno e le corrompe dall'interno, e mano a mano che il daffare delle persone che cercano di resistergli si fa più febbrile, quel daffare appare più fragile e al tempo stesso più eroico.

La guerra è alle porte – non la sentite? Fa un verso opposto a quello del rigogolo: è una sequenza di soli punti esclamativi. Se guardo oltre il profilo dei colli, dove il cielo si fa più opaco per via dei fumi della grande pianura industriale, mi sembra di sentire il suo profumo velenoso e inebriante salire dalle città. I popoli sono in tumulto, serrano i ranghi e tornano tribù per prepararsi alla ridefinizione tribale della Storia. Non so nemmeno se biasimarli: l'angoscia è peggiore dello spavento, è un male immobile, un'attesa insopportabile. Per questo verrà la guerra, per sollevare gli uomini dalla presente angoscia. Perché l'umanità è stufa di aspettare che succeda qualcosa. Dunque, la farà succedere.

Io nel frattempo faccio il verso del rigogolo, in piedi, sul prato davanti al bosco. Maria dice che sembro un cretino, non so se per l'attività in sé o per la postura imbambolata, da bimbo che si lascia stordire dai sensi. "Sembri un cretino," commenta a voce bassa, senza nemmeno alzare gli occhi dal libro che sta leggendo. Sono le forme dell'affetto, dopo quasi vent'anni di matrimonio. Domani Maria parte. O è ritornata ieri. Ho in buona parte perduto il filo della sua vita. Lei nel tumulto del mondo si sente a suo agio. Il mondo lei lo padroneggia. Anzi lo costruisce: fa l'ingegnere.

Io abito qui, tra i campi di erba medica, i boschi di quercia, carpino e orniello, le prime faggete che risalgono le pendici dei monti infittendosi mano a mano che prendono quota. Maria mi telefona spesso da stazioni e aeroporti, sento dietro la sua voce il coro indecifrabile delle vite in transito, il fragore sproporzionato dei bagagli a rotelle, l'eco assordante degli altoparlanti.

Avevamo preso in affitto la casa di Roccapane una decina d'anni fa, per passarci qualche weekend, come tutti i cittadini intossicati di questo mondo che al primo refolo di letame o di muschio si inebriano e rinascono. Non avrei mai immaginato di venire ad abitarci stabilmente, anche perché questa casa è più piccola del pletorico appartamento urbano, pieno di qualunque cosa, che sarebbe la nostra vera dimora ma non lo è più: Maria ci dorme al massimo un paio di giorni a settimana, io praticamente mai. Preferisco, quando scendo in città, ripartire la sera stessa e tornarmene quassù. Una delle ragioni fondamentali è lo sgomento che mi suscita l'ammasso ingovernabile di oggetti che occupano quella casa, ingombrando ogni angolo, stipando ogni cassetto. Abbiamo troppe cose, io e Maria. E in generale, checché se ne dica, abbiamo troppe cose tutti quanti.

6.

Come e quando mi trasformai in un imbuto

A un certo punto della mia vita – facevo ancora l'uomo politico – mi sono trasformato in un imbuto. Nel giro di pochi mesi, senza averlo chiesto né previsto, e come se non mi bastassero i problemi con il partito a causa del mio progetto di legge (eccellente!) sull'uniforme obbligatoria nelle scuole di ogni ordine e grado, sono diventato il ricettore di materiali, memorie e sentimenti che dalle vite degli altri confluivano, a ranghi compatti, verso la mia.

Ogni imbuto è formato da due tronchi di cono sovrapposti, di sezione molto diversa. Quello superiore ha forma di recipiente, largo e aperto, quello inferiore è stretto e allungato. L'ampiezza dell'imboccatura inganna, può capitare di riempire un imbuto più di quanto possa smaltire. Allora quel sistema, che è semplice ma inesorabile, collassa. E il liquido tracima, disperdendosi ovunque. Se l'imbuto è appoggiato male, il peso del liquido può facilmente rovesciarlo. Nell'iconografia medievale l'imbuto rovesciato è simbolo di follia.

Ancora non so dire se, in quanto imbuto, sono destinato soltanto a vacillare oppure a ribaltarmi, perché quel momento della mia vita è tuttora in corso. È questo. Sotto la superficie celeste e luminosa della mia vita all'aperto, corre il fiume oscuro della memoria, le facce e le voci perdute, quelle amate e quelle detestate, quelle importanti e quelle trascurabili confuse nella stessa indistinguibile corrente. La mia incapacità di separare i pezzi di memoria che valgono qualcosa da quelli che impicciano e basta è paralizzante. Una vera e propria forma di disabilità.

Tutto cominciò con la morte, a pochi mesi di distanza, di mia madre e di sua sorella Vanda, e relativi lasciti. Due case da svuotare, con un'impressionante quantità e varietà di oggetti da avviare a una delle opzioni disponibili: tenere, buttare, regalare, provare a vendere il poco che è vendibile.

Sono tutte scelte rispettabili, non mi va di stabilire una graduatoria di merito – men che meno di moralità – tra chi ficca nel cassonetto più vicino le scarpe sformate, le vestaglie lise e i soprammobili orribili, magari di notte per non farsi vedere; e chi invece affitta un magazzino per dare ricovero a qualunque carabattola abbia il solo merito di essere appartenuta a qualcuno. È la quinta opzione – "ci penserò dopo" – quella funesta. Ma è largamente la più praticata, vuoi per pigrizia, vuoi, come nel mio caso, per impotenza: non troverò mai il tempo e il modo per affrontare quell'esercito di cose, al tempo stesso inerti e minacciose, che aspettano di essere passate in rassegna una per una. Proprio da me, che di quell'esercito di oggetti sbandati sono stato nominato, senza averlo chiesto, condottiero.

Dovrebbe aiutarmi, almeno in teoria, colei che divide con me il grandioso lascito familiare: mia sorella Lucrezia. Figuriamoci.

Devo fare tutto da solo. Maria è quasi sempre all'estero, mia sorella è come se fosse all'estero anche le rare volte che è con me. Grava sulle mie sole spalle il destino di ogni abat-jour ammaccato, di ogni miserabile plafoniera da cesso, e la cosa peggiore è che di ogni abat-jour e di ogni plafoniera io mi sento responsabile. È un po' come quando facevo l'uomo politico: gli elettori, pensati tutti assieme, sono solamente una massa indistinta, ma presi in considerazione uno per uno assumono un'evidenza insostenibile. Sono individui, e io avrei dovuto, per onorare il mio compito, prenderli in considerazione uno per uno...

Per giunta, alle incombenze ereditarie naturali se ne sommò una del tutto inattesa, diciamo così artificiale. La donazione di una vecchia pittrice che aveva molto apprezzato un paio di mie interviste – parlo di quando facevo l'uomo politico –, al punto di decidere che dovessi essere proprio io a disporre, dopo la sua morte, della sua opera. Faceva collage con minuscoli pezzi di tessuto. Un'autentica benefattrice degli acari. Il fatto che mi avesse individuato come suo tutore post mortem dopo avere letto quattro frasi sormontate dalla mia faccia era l'indizio di una disperata solitudine. Quando andai a conoscerla nella sua casa romana, ingombra fino all'asfissia dello sguardo, c'era un forte odore di fondi di caffè e pipì di gatto, e su un tavolino una mia foto ritagliata da un giornale. Ebbi l'impulso di rubarla per salvarla da quell'immersione nei cattivi odori ristagnanti. Raramente mi sono sentito così egoista. Ma anche così imbarazzato. E così fuori luogo. Mi parlava "come se fossi suo figlio". Per quanto io sappia, all'occorrenza, essere stronzo, non ebbi il cuore di dirle, in mezzo a tutta quella vita in decomposizione, che non avevo la minima intenzione di esserlo, suo figlio.

Per una questione idraulica, governare quel flusso imponente di oggetti e di memorie non è umanamente possibile – l'imbuto, per quanto capiente, non può ricevere più di quanto può smaltire – e dunque cominciai ad avere la sensazione che tutto, attorno a me, tracimasse. O meglio che tracimasse proprio da me, dalla mia persona, essendo io l'imbuto, io l'affidatario di quelle stanze, quei mobili, quelle carte, quei quadri, quei relitti.

La Sindrome da Imbuto conobbe l'acme quando mi misi in testa che avrei svuotato contemporaneamente la casa di zia Vanda a Ospedaletti e quella della pittrice pazza. Seduto su una cassa, con i bronchi pieni di polvere, il respiro corto, le gambe rotte dalla fatica, mi sentii chiamare dalla strada dal traslocatore che mi chiedeva indicazioni su non ricordo cosa; mentre mi affacciavo alla finestra, nel tepore insano che la Liguria somministra anche a fine novembre, mi telefonò l'altro traslocatore – quello che stava svuotando la casa della pittrice a Roma – per dirmi che avevo dimenticato di consegnargli le chiavi del magazzino affittato per metterci tutto il "ci penserò dopo" possibile immaginabile.

Fu precisamente in quel momento che cominciai a coltivare l'idea del rogo.

Nei dormiveglia dell'alba, quando il buio è appena rigato dalla prima luce che filtra dagli scuri, progetto il falò perfetto. Lo compongo pezzo per pezzo, studiando come dare alla catasta il giusto respiro, perché stiparla troppo soffoca le fiamme. Le cose devono essere appoggiate una sull'altra senza incombere troppo. La combustione ha bisogno di ossigeno. La distruzione ha bisogno di respirare. Aria, fiamme e aria, e la materia rende l'anima al cielo.

La composizione della pira varia a seconda dell'umore del momento e dei materiali che mi sembrano più opprimenti. La scala della mia ostilità si ridefinisce quasi ogni giorno, influenzata anche dai sogni appena precedenti il risveglio. Se ad esempio ho sognato zia Vanda – e mi capita spesso; e nel sogno mi meraviglio che sia viva e vegeta, e mi sento in colpa per averla creduta morta –, sono tutte le cose di zia Vanda che passo in rassegna mentalmente appena aperti gli occhi. Una dozzina di scatoloni devono essere nella mia casa di città, forse in soffitta, forse in cantina; ma nella sua casa di Ospedaletti temo ci sia ancora dieci volte tanto. Da quanti anni non ci passo: due? tre? Ogni armadio, ogni quadro, ogni oggetto attende immobile, nella penombra e nel silenzio, che qualcuno ne decida il destino.

Mia sorella Lucrezia? Figuriamoci.

Per la salute del mondo, bisognerebbe che il trilocale con (parziale) vista mare di zia Vanda funzionasse come certi sepolcri nel profondo delle piramidi, che secondo la leggenda appena li violi non reggono il contatto con l'aria che irrompe, e tutto si disfa. Allo stesso modo sogno di aprire quella porta e vedere le cose di zia Vanda svanire, come un esercito di polvere. I comodini carichi di cornici di peltro con le fotografie di altri morti, il portaombrelli di rame a tortiglione, il tappeto di cocco davanti al lavello, la vetrinetta con la collezione di papere di ceramica, le sedie pieghevoli del terrazzo, la lavatrice, il forno a microonde, l'asse da stiro, lo stenditoio pieghevole, tutto, proprio tutto che trascolora, perde consistenza e poi sparisce, inchinandosi al tempo. Un mortorio che non regge l'urto della vita. E il cartello VENDESI, verde con la scritta in nero, che oscilla al vento sul cancello esterno e infine si stacca come una foglia secca, magari quando passa la corriera.

Prese una per una, le cose di zia Vanda – a parte un paio di mobili quasi rispettabili – sono solo cianfrusaglie, comprate in grandi magazzini dove le luci al neon impregnano le merci esposte di una patina di rassegnazione; o in quelle botteghe liguri, umide anche d'estate, dove puoi trovare acquerelli della città vecchia in quantità esorbitante – devono essere migliaia, in Liguria, gli acquerellisti specializzati in città vecchie. Ma tutte insieme sono, invece, "le cose di zia Vanda", e anche la più trascurabile, la più brutta, la più lisa non vive di luce di propria, ma del riflesso, ormai opaco, di una vita trascorsa.

Le vecchie case sono un reliquiario. Ci dicono che i morti furono vivi, e ce lo dicono piuttosto brutalmente, come per rimproverarci di averlo dimenticato. Furono vivi, i morti, proprio come me adesso, in questo letto e in questo giorno nascente, alle prese con la sensazione che le cose siano lacerti di persone, parti del corpo mummificate e assegnate alla nostra venerazione. Siamo pur sempre nati e cresciuti in una religione antropomorfa, che crede nella resurrezione della carne e colleziona reliquie con entusiasmo feticista. Le penne sono dita, le scarpe piedi, i cappelli scalpi, gli occhiali lo sguardo che hanno contenuto.

Ma le penne, credetemi, non sono le dita che le hanno impugnate, le scarpe non sono i piedi che le hanno calzate, i cappelli non sono scalpi. E gli occhiali sono solo orbite vuote. Scorie delle vite altrui che rimiriamo impotenti, sgomenti per la quantità incredibile di cose che in poche decine di anni ognuno di noi riesce ad accumulare. Il passato che ci imprigiona è solo in piccola misura il nostro. Si tratta del passato degli altri che si traveste, pur di sopravvivere, da nostra memoria.

Libertà è un rogo ben congegnato.

7.

Ancora di maggio, a Roccapane

E dunque, all'aperto! Via dalle stanze chiuse dove si accumulano memorie e polvere. Al sole e al vento, esposti al cielo, felici della propria insignificanza – non fosse assai significante, invece, appartenere finalmente al mondo.

Si cammina nella vastità, si è un dettaglio dell'insieme, diluiti nell'aria e nella luce, sollevati dalla pesantezza dell'ego. Se tutti gli ossessi che trascorrono la vita digitando le loro opinioni (ma da quando è diventato obbligatorio, avere opinioni?) uscissero di casa e si incamminassero, non importa per dove, comunque diretti al più vicino lembo di pianeta dove case e strade scompaiono, il cielo si allarga, le nuvole sorvolano i campi, almeno qualcuno di loro potrebbe guarire e salvarsi.

Cammino con i pantaloni morbidi e vecchi – gli stessi da giorni – che assecondano il movimento delle gambe, una maglia comoda e dal colore casuale. Nessuna eleganza è più elegante della trascurata indifferenza che l'asocialità consente: capita poi di specchiarsi per caso, in un bar lungo la strada, spettinati e ruvidi, con lo sguardo acceso dalla luce appena assunta, e trovarsi bellissimi. Come da tempo non si era, come se il corpo riuscisse ad assorbire dall'esterno la giovinezza che non è più in grado di produrre da sé. I begli occhi bruni di Maria, dopo una camminata – le rare volte che viene a camminare con me – hanno uno splendore geografico.

E dunque via, all'aperto, chiusa la porta di casa e spalancata quella della Terra. La porta di casa, in campagna, è un confine vero e drammatico, non come le blande porte di città che separano appena scatola piccola da scatola più grande. La porta di campagna separa i protetti luoghi dell'abitare dall'immenso spazio e dall'immensa luce. Questo rende ben più definiti e apprezzabili tanto l'interno che ci custodisce quanto l'esterno che ci ammalia e travolge.

Risalgo il campo, cammino sullo stretto margine indurito a ridosso al bosco, evitando la terra molle che quando si attacca alle suole rende greve il passo. Alla mia destra l'ombra degli alberi fitti, alla sinistra la distesa del campo aperto. L'umore è alto, almeno quanto la poiana che sale immobile, a larghi cerchi, indifferente ai voli di disturbo delle squadracce di cornacchie. Si sente il loro gracchio intimidatorio. La seguiranno fino a una certa altezza, poi lei continuerà a salire in solitudine.

Il cielo è immenso. La terra gli è sottomessa, ma dispone di una varietà di cose, consistenze, colori diversi che la rendono molto più varia e frequentabile. Guardare il cielo va benissimo, ma è la terra che misuro a ogni passo. Controllo i fossi, quelli ingombri di ramaglie e sassi andranno ripuliti. Non si riesce a camminare, in campagna, dimenticando i lavori da fare. C'è sempre da fare, sempre.

Arriverò alle rocce chiare punteggiate di ginepro, le scavalcherò in quattro passi, in cima al crinale mi volterò per uno sguardo alla casa e proseguirò fino al paese alto e al bar tabacchi, dove sono sicuro di trovare qualche amico. Spero di incontrare, strada facendo, Federico in mezzo alle sue capre. È l'altro mio grande amico, quassù, insieme a Severino e alla Bulgara. Dev'essere vicino ai trenta ma ne dimostra molti di meno. Un ragazzino. Ha scelto, in fondo a non so quale suo tormento, di salire in montagna e fare l'allevatore e il pastore, come un antenato redivivo oppure – è quello che penso – come un avanguardista. Uno che ha deciso di spostarsi dal presente, che deve sembrargli un tempo troppo fermo, e cerca di ricucire i lembi del passato e del futuro. Con le sue braghe smerdate, il suo odore di caglio e il suo smartphone sta a cavalcioni dei secoli e li rimescola con un sorriso allegro, ingenuo – darei non so cosa per rubarglielo. È uno dei pochi esseri umani – a parte mia sorella Lucrezia – che invidio, ma per ragioni opposte: Lucrezia per la sua allegra indifferenza a tutto ciò che non sia piacevole e divertente, Federico per la devozione a qualcosa che deve avere intuito, soltanto intuito, eppure a quella cosa si è affidato con piena fiducia. Ecco una vera conversione, caro il mio Beppe Carradine: quella di Federico fuggito da qualche parcheggio di ipermercato, da qualche spaccio o spacciatore, e volato quassù per rivivere. Se fossi ancora in politica, oltre a rilanciare la mia sacrosanta legge sull'uniforme obbligatoria nelle scuole di ogni ordine e grado, farei in modo di destinare risorse a Federico, alle sue capre e agli altri ragazzi che un'illuminazione conduce ai campi. Potrebbe chiamarsi: Legge per la tutela dei profeti e per il finanziamento delle profezie. Non credo che avrebbe molto successo.

Qui attorno sono quasi tutti vecchi. Di Federico mi sorprese, la prima volta che lo incontrai, la voce ancora più dell'aspetto. Una voce squillante, infantile, che spiccava tra i toni rochi che dominano a Roccapane. È una voce sorgiva, e quando lo sento parlare, io che non ho figli, mi coglie una sconosciuta benevolenza paterna. Di qualunque cosa Federico abbia bisogno, vorrei poter provvedere. Lo invito spesso a pranzo o a cena, viene o non viene a seconda di sue imprevedibili esigenze, io non capisco i suoi orari e mi sfugge il ritmo che scandisce la sua vita.

Lui, Severino e la Bulgara sono diventati i miei maestri, ma è molto importante che non lo sappiano, e nemmeno lo sospettino. La notizia potrebbe confonderli.

49

8.

Un passaggio di Maria: potrebbe essere giugno

"E questo come te lo sei fatto?" chiede Maria indicando un gibollo bluastro sul mio avambraccio.

"Non me lo ricordo. Forse scaricando legna."

È sdraiata su un fianco, la testa appoggiata alla mano sinistra aperta, l'altra mano che accompagna lo sguardo nella consueta ispezione delle mie ecchimosi e dei miei graffi. Io sono nudo, esposto, ho appena fatto la doccia, il grande letto di legno della nostra stanza è la sede naturale del piccolo rito che rinnoviamo quasi a ogni suo passaggio. Nemmeno un'ombra d'ansia o di rimprovero, nell'atteggiamento di Maria; al contrario, è una soddisfatta verifica dei segni che il lavoro fisico ha impresso sul mio corpo. Più sono ammaccato, più lei sembra contenta. Un ingegnere che constata la vitalità del cantiere. Immagino che guardi le ruspe, Maria, allo stesso modo in cui sta guardando me adesso. Una ruspa troppo nuova e lucente farebbe sospettare l'inattività, ed è quello il solo status che susciterebbe la sua riprovazione; la vera voragine nella quale Maria mi vedrebbe precipitare con spavento.

A parte il bene della libertà reciproca, a tenere insieme il nostro strano matrimonio è anche la sostanziale complicità con la quale lei ha accolto il mio abbandono della politica, attività che al suo vaglio doveva sembrare di suprema inconsistenza. Quasi non fece commenti. Solo uno dei suoi soliti "fai come ti senti di fare". Penso che sia davvero convinta – più di quanto lo sia io – che potrei diventare un agricoltore, e mantenermi da solo. Lo provano i segni sul mio corpo. Niente di quanto è concreto dispiace a Maria, e alla fine è questo il sentimento che ci rende complici: ognuno fa le sue cose, ognuno si fida di come le cose dell'altro vengono fatte.

Mi sollevo, appoggio la schiena al cuscino.

"E tu? Com'è andata a Teheran?"

"Non ero a Teheran. Ero a Shiraz."

"Volevo dire: com'è andata a Shiraz?"

"Esattamente come quando vado a Teheran."

Ridiamo. Le domando: "Un viadotto?".

"Un viadotto. Due viadotti. Tre viadotti. Un'autostrada."

"In mezzo alle pietre?"

"In mezzo alle pietre."

"Più pietre o più uomini?"

"Più pietre. Tu sei geloso, Attilio."

"Non sono geloso. Non posso permettermelo."

"E che cosa puoi permetterti?"

"Una sarchiatrice. Devo comprare una sarchiatrice meccanica. Per tenere pulito il campo di zafferano senza perdere troppo tempo."

"E usare un po' di chimica? Che cosa ti ha fatto di male, la chimica?"

"A me, proprio niente. È Severino che non vuole, e il terreno è suo."

"Di solito sono i fighetti di città, che hanno la mania del biologico."

"Severino è nato qui, ma evidentemente è più fighetto di me. In ogni modo mi fido di lui, conosce la terra. Anzi: la capisce. Quando lo vedo in mezzo a un campo, sono contento per lui e per il campo. Niente di stravagante o di magico, puro talento da villico."

Breve silenzio. Anche Maria si mette seduta, raccoglie le ginocchia tra le braccia, mi guarda di sottecchi.

"Sei sicuro che non ti servono soldi?"

"Mi bastano quelli che mi dai. Per la sarchiatrice, li anticipa Severino. Glieli ridarò quando faremo a metà con la vendita dello zafferano. Venti euro al grammo, ventimila al chilo. Ne abbiamo messo mezzo ettaro. Un chilo di raccolto è plausibile. Dunque ventimila euro. Spese poche, faccio quasi tutto io."

"Be', non è male. E te ne tieni la metà?"

"Il campo è suo, il lavoro è mio. È una specie di mezzadria."

"Mezzadria," ripete Maria a bassa voce. Lo ripete con una serietà che mi emoziona, senza tracce di ironia o di delusione nella voce, come una studentessa che memorizza un termine appena imparato, come se fosse nell'ordine delle cose che un possibile ministro diventi mezzadro. Mi giro verso di lei, le accarezzo i corti capelli castani, le mostro una scortecciatura sotto un ginocchio che forse le era sfuggita.

"Un colpo di zappa?" chiede.

"No, una botta contro un carrello dell'Esselunga."

Ridiamo, ed è la seconda volta in pochi minuti. Un matrimonio solido, direi, a dispetto delle apparenze. Molto rarefatto, ma solido.

Le domando se vuole mangiare qualcosa. "Più tardi," mi dice. Si spoglia anche lei.

9.

Dal passato, che non la smette mai

Ettore Mirabolani è uno stronzo. Un doppio stronzo, se si considera che oltre a essere il mio principale nemico lo è nel più mediocre dei modi.

Avrei meritato un nemico di vaglia, ecco. Invece, soprattutto ai tempi del mio progetto di legge sull'introduzione dell'uniforme obbligatoria nelle scuole di ogni ordine e grado, Mirabolani scrisse contro di me contumelie generiche, di grana grossa, spesso senza alcuna attinenza con il merito del contendere. Nel merito, peraltro, come avrebbe potuto entrare? Credo abbia serie difficoltà nella comprensione del testo. Compreso il suo. Lui lavora solo sul contesto, lo scenario pressappochista nel quale la cosiddetta informazione incastra i suoi personaggi e inquadra le sue storielle. Ha in testa una specie di paesaggio stilizzato – la genuinità popolare, i politicanti ladri – dentro il quale poi ficca qualunque cosa, adattandola a seconda delle misure già date, come il corniciaio che scempia il quadro pur di farlo entrare nella cornice. Quelli come Mirabolani sono tutta cornice e niente quadro. La cornice, per giunta, è brutta.

Gli piaceva pensare (e scrivere, se così si può definire la sua prosa asmatica) che io fossi, non si sa perché, "al soldo del potere" – per quelli come lui, chiunque sia riuscito a mettere insieme pranzo e cena grazie al proprio lavoro, peggio ancora al proprio talento, non può che essere "al soldo del potere". L'espressione è tronfia e polverosa, pare uscita da una disputa ottocentesca tra giovanotti nevrastenici e barbuti, di quelli che poi si sfidavano a duello, si graffiavano un braccio con lo spadino e si facevano curare dalla fidanzata tisica come se fossero eroi di guerra. Ma a lui piace molto – "al soldo del potere" – e soprattutto è perfettamente funzionale agli umori del popolino rancoroso che per assolvere la propria nullaggine la attribuisce ai soprusi altrui: il suo pubblico, insomma. L'esatto contrario del popolo fiero, e severo con se stesso, che ha animato i sogni dei grandi rivoluzionari. Quale rivoluzione, almeno nel suo impianto teorico, ha potuto fare a meno della nobiltà d'animo, e fondarsi dunque sull'ignobiltà? Ve lo dico io: nessuna rivoluzione, mai, se non quella che cova nel petto di Ettore Mirabolani e di milioni di stronzi come lui.

Ora me ne pento, ma – errore gravissimo, imperdonabile – lo avevo querelato. Lui aveva controquerelato, dandone notizia ai suoi lettori vogliosi di faida, appostati ai margini del suo colonnino di giornale nella speranza che ne stillasse qualche goccia di sangue. E poi cincischiano con le dita per compitare commentini al traino, come quelli che dopo il linciaggio si accostano al cadavere per assestargli un calcio.

Poi la mia querela dev'essersi arenata, fortunatamente, in un paio di scartafacci dimenticati in qualche ufficio giudiziario fradicio di parole inutili. Ma ogni tanto ci ripenso e temo che quegli incartamenti riemergano, come le macchie d'umido sui muri delle vecchie case. Non si sa mai, un impiegato zelante, un avvocato che in un momento di debolezza decide di guadagnarsi la parcella già incassata anni prima. L'idea che quelle carte sopravvivano, da qualche parte, riattizza la mia piromania. Vedrei benissimo l'intera querelle Mirabolani-Campi, trafugata da palazzo di giustizia, bruciare in uno dei miei roghi, diventare fumo, svanire in un azzurro cielo novembrino, con il pulviscolo di carta carbonizzata che sale danzando nell'aria tersa e si disperde nei boschi. Si preannuncia, il mattino dopo, il profumo postumo e riposante della cenere. Alle ventate, dai resti della pira si solleva qualche briciola di carta rimasta incombusta: ma nessuna parola è così piccola da essersi salvata.

Sento che dovrei fare la pace con Mirabolani. Qualcosa mi dice che è un passaggio decisivo – forse *il* passaggio decisivo – del mio cammino verso l'umiltà. L'ira, la smania di vedere affermata la mia ragione, il bisogno di atterrare il nemico e di sentire l'applauso della folla, tutta l'adrenalina prodotta dalla lotta e dall'odio necessario per sostenerla: come si può vivere leggeri, con una soma del genere sulle spalle, con un tumulto del genere in corpo? Ancora oggi, se penso a quello che Mirabolani ha scritto di me, capita che mi si chiuda lo stomaco. E più mi rendo conto che si tratta di calunnie insulse – niente che abbia vera attinenza con la mia vita, niente che possa modificare la sostanza delle cose –, più mi mortifica non essere capace di dominare la rabbia. La bassa qualità di Mirabolani e delle sue accuse non dovrebbe farmi così male; è solo fango, per ripulirlo bastano una spazzola o un getto d'acqua. Non ho ombra di dubbio sulla mia superiorità; dunque, perché quella ferita non si chiude? Evidentemente perché io stesso ne mantengo aperti i lembi, permanendo in uno stato di fissità ossessiva, quello di chi sa di avere ragione e dunque vuole vedersela riconosciuta a qualunque costo.

Ecco il vero problema, ecco l'uovo del serpente: avere ragione. La sola maniera per chiuderla davvero è dimenticarla, la mia ragione, e smettere di rinfacciare a lui il suo palese torto. Si tratta di scendere i gradini che mi separano da lui, anche se sono tanti. O meglio: proprio perché sono tanti. Guardarlo negli occhi dalla medesima altezza. E dirgli: tu sei solo un povero stronzo, Mirabolani. Ma sono un emerito stronzo anch'io. Ecco che cosa siamo: una moltitudine di stronzi, chi più chi meno, chi cosciente di esserlo e chi no, io per esempio molto più cosciente di te perché sono più intelligente – ma su questo punto sorvoliamo, altrimenti si ricomincia da capo a litigare. Stringiamoci la mano e lasciamoci alle spalle il passato.

Non c'è dubbio, immaginarmi pacificato con Mirabolani mi farebbe sentire meglio. Più equo? Più generoso? Non è questo il punto. Mi farebbe sentire più libero. Libero da Mirabolani, e sarebbe il meno, perché liberarsi di un pidocchio è affare da poco. Libero, questo voglio dire, dal mio odio per lui, tanto più doloroso quanto più malriposto, insensato, ingovernabile.

Libero, infine, da me stesso.

Cerco di sceneggiare le diverse maniere con le quali potrei fare pace con Ettore Mirabolani. Diciamo che progettare roghi degli oggetti inutili e immaginare paci con Mirabolani sono stati, negli ultimi mesi, pensieri costanti. Più presenti, perfino, della pena per l'affondamento della mia fondamentale legge sull'uniforme obbligatoria nelle scuole di ogni ordine e grado. Progetto roghi e paci, paci e roghi, e il nesso mi sembra evidente: in entrambi i casi si tratta di ingombri da smaltire, trapassi da compiere da uno stato al seguente. Sono le some da abbandonare per riprendere il cammino con la leggerezza che sogno. Per arrivare alla vecchiaia con un passo più lieve, e quasi nessun gravame sulle spalle.

Ma non è così semplice. Per esempio: non avere più nemici e sorridere a tutti, non sarà forse la forma di arroganza definitiva?

10.

Una mattina di giugno, al risveglio

Non esiste una classifica permanente di quello che vorrei ridurre in cenere. Ogni sopralluogo, materiale o anche solo mentale, nelle fitte cataste in solaio, negli armadi, in cantina, nella rimessa, mi porta a rivedere il giudizio su ogni singolo oggetto. Basta pochissimo – una corrente sottile di simpatia o di antipatia, di spregio o di pietà – per cambiare le gerarchie. E altrettanto poco – un rimorso, un'incertezza – per riabilitare il condannato e condannare lo scampato.

Questo è l'elenco sommario dei materiali destinati al falò, aggiornato alle ore sei e trenta di questa mattina di giugno. Al primo posto, incontrastate regine, le otto chiavarine sfondate che dovrei fare riparare e reimpagliare da almeno una ventina d'anni; e nel frattempo, nella spietata requie del solaio, perdono peso e consistenza per via dei tarli, come certi pani quando rinsecchiscono. Sono sedie scadenti, con le gambe guaste, però "di famiglia". Formula che contiene, alla massima potenza, il micidiale ricatto della memoria: quello che, per onorare il passato, ostruisce il presente.

Al secondo posto le cose di zia Vanda, delle quali si è già detto. Quasi al completo, prese in blocco, deprivate di ogni individualità. Anche perché se appena concedessi a ogni vecchio paltò, a ogni pentola a pressione, una sua autonoma dignità, sarei paralizzato dagli scrupoli. Si deve dunque approfittare del fatto che le cose di zia Vanda si adattano bene a una classificazione collettiva. Costituiscono il classico ensemble, possiedono – direbbe un critico – una notevole unità stilistica, il famoso "vorrei ma non posso", nel caso di zia Vanda trasformato in un risolutivo "non solo non posso, ma neppure vorrei". Il problema è che, già formulando questo pensiero – e in fin dei conti riconoscendo alle cose di zia Vanda una loro ragione di essere –, il mio giudizio comincia a vacillare. Penso che sarebbero perfette, per esempio, come nucleo fondante di un Museo della Depressione, o per una di quelle installazioni che mettono in mostra gli oggetti di tutti i giorni allo scopo di illustrare il definitivo abbandono, nella società di massa, di ogni ambizione estetica. Peggio ancora, mi viene il dubbio che proprio la mediocrità delle cose di zia Vanda sia ciò che dovrebbe rendermi indulgente nei loro confronti. Che diritto ho di distruggerle o di liberarmene solamente perché sono brutte? Non avevo forse deciso di imparare a essere umile?

Al terzo posto c'è qualcosa di molto complicato, molto delicato. L'intero carteggio di mia madre con Sandro Losandro, una grande scatola di cartone fiorato chiusa da un fiocco ex vermiglio e oggi scolorito, sfinito dall'attesa di dita che lo sciolgano. È pieno di vecchie lettere tra due ex compagni di università (ex fidanzati? ex amanti?) che mia madre conservava come una reliquia. Non volle mai spiegare, né a me né a mia sorella Lucrezia, se quei sei-sette chili di carta ingiallita avessero valore privato o pubblico, sentimentale o scientifico. Ci diceva soltanto, di quando in quando, "questo è il mio carteggio con Sandro Losandro, mi raccomando", e non avemmo mai il coraggio di farle domande in proposito, consegnandoci così all'eterna prigionia di quel "mi raccomando" così vago e insieme così perentorio. Non ricordo se, quando mio padre era ancora vivo, fosse partecipe oppure escluso dalla custodia – eterna – del misterioso carteggio con Sandro Losandro.

Sia mia madre che Losandro erano appassionati di archeologia, esperti di incisioni rupestri. Fecero anche un viaggio insieme, quando ero ancora bambino, nel parco del Mercantour, sulle montagne sopra Nizza, per catalogare le teste cornute e i pugnali impressi da pastori antichissimi sulle pareti di ardesia. Chissà che cosa accadde davvero, tra mia madre e Sandro Losandro, nel parco del Mercantour. Calchi di gesso delle incisioni rupestri o appassionati amplessi tra le ardesie e i licheni? o entrambe le cose? Per saperlo, bisognerebbe che qualcuno aprisse quello scatolone e leggesse quelle lettere.

Perché non lo fa mia sorella? Figuriamoci, mia sorella.

Secondo me, mia madre contava sull'incertezza dei posteri come garanzia del suo segreto. Voleva mantenere quello scatolone così come è ora: eterno e inviolato. Voleva rendere troppo faticosa, troppo rischiosa, la sua apertura. Nell'ipotesi che l'oggetto di quelle lettere sia scientifico, chi si prenderebbe mai il disturbo di perdere un sacco di tempo per individuare, in chissà quale sperduto ateneo, qualcuno che accetti di prendere in carico lo scartafaccio? E non avendo voglia di cercarlo, questo qualcuno, chi avrebbe il coraggio di distruggere un prezioso carteggio sui graffiti dei liguri antichi? Se invece il contenuto dello scatolone avesse un netto indirizzo erotico-sentimentale, quale figlio sarebbe così indiscreto da profanare il talamo della madre, per giunta condiviso non con il padre? E se Sandro Losandro fosse (o fosse stato, non so se viva ancora) un prodigioso trombatore? E se nostra madre ne avesse condiviso il talento, esaltandolo in sequenze erotiche così memorabili da riempirci uno scatolone? Francamente, preferirei non saperlo.

Se invece, infine, il carteggio fosse solo una sequela di banalità, di irrilevanti notizie sulle rispettive vite, mantenuto nel tempo soltanto per abitudine, nel timore scaramantico di interrompere una catena senza altro significato della catena stessa... perché assumerci, da posteri, la responsabilità di spezzarla? Il problema è che da ogni distruzione sprigiona, insieme al senso di liberazione, un'inquietudine: il timore di avere cancellato per sempre un segno che non potrà mai più essere replicato. Sono sicuro che anche il più feroce, il più perverso degli appiccafuoco (l'Inquisitore, il cacciatore di streghe), nell'attimo in cui vede le fiamme prevalere sulla sagoma conosciuta ha un attimo di sgomento. Vorrebbe tornare indietro. Ma non è più possibile, e per darsi un contegno finge di approvare un gesto di distruzione senza rimedio. Anche per questo, come piromane sono stato fino a qui molto esitante. Anzi: inadempiente.

Ripromettendoci, dopo la morte di mamma, di dare finalmente un'occhiata a quel carteggio, né io né mia sorella (figuriamoci) abbiamo mai trovato il tempo o il coraggio di farlo. Le dimensioni dello scatolone, per giunta, sono di diabolica ambiguità: è troppo piccolo per essere considerato un grave ingombro, troppo grande per essere ispezionabile in poco tempo. Così se ne rimanda il destino mese dopo mese, anno dopo anno, e nel frattempo ingigantisce il sospetto che a causa di quell'indugio, moltiplicato per mille, sia il nostro destino, non quello di Sandro Losandro, a rimanere in sospeso, e forse a sciuparsi.

Poi. Ci sono una decina di annate dei miei faldoni fiscali, pedanti accumuli di scontrini, ricevute di agriturismi, ristoranti, stazioni di servizio, ciascuno è il nome di un giorno e di un posto della mia vita non sempre meritevoli di memoria. Il commercialista mi dice che, trascorsi dieci anni, non esiste più l'obbligo di conservare quelle insulse scritture, ma il terrore della burocrazia mi paralizza. Un paio di mesi fa è arrivata fin quassù a Roccapane, dentro una racchia busta verdina, un'ingiunzione della guardia di finanza che chiedeva chiarimenti sui miei rapporti economici con la ditta Pergolini. Già alla prima occhiata, ancora con la busta in mano, mi sono sentito spacciato, coinvolto in qualche sordido traffico, per giunta nella parte del coglione che ha firmato qualcosa di gravissimo senza averne contezza, dunque senza nemmeno il conforto del protagonismo, del crimine cercato con destrezza; macché, agli onesti non è concessa neppure la gloria del male, solo il sospetto della caduta accidentale, di un ruolo da gonzo incauto.

Mi ci è voluta una mezz'oretta buona, frugando nei cassetti, per scoprire che la ditta Pergolini mi aveva fatturato, sei anni prima, un telone di plastica e attrezzi da giardinaggio; finito sotto indagine il Pergolini, alla finanza era bastato trovare il mio nome nel registro dei clienti per intimarmi di presentare qualche scartoffia. Niente passa, tutto lascia tracce, una scia interminabile di carte burocratiche ci insegue, e per quanto velocemente noi si fugga verso il futuro, siamo pedinati dal nostro passato. È il passato in persona, negli ultimi tempi, l'ombra che mi tallona implacabile, io cerco di seminarla, o di fermarmi e lasciarlo passare, ma lui non fa una piega, come se da un momento all'altro volesse tamponarmi, e farmi franare addosso tutto il suo carico.

Poi ditemi voi che fare delle decine di cartine stradali d'Europa – le più recenti degli anni ottanta – che conservo in ricordo dei miei viaggi giovanili, tutte piegate male, bozzute, alcune con macchie di Coca-Cola, segnacci di matita, strappi. La loro attendibilità è ridotta allo zero, nuove strade e autostrade, nuovi svincoli e rotatorie hanno cambiato la faccia del mondo, nel frattempo. Le ho conservate per conservare il ricordo di me, ancora con tanti capelli, in motocicletta tra Avignone e Tolosa. O in traghetto tra Danimarca e Svezia.

Ci sono un paio di trapunte patchwork finemente rose da insetti e da usura, con macchie sospettabili di qualunque origine, sessuale o alimentare. Tracciati ormai illeggibili di amplessi o di lungodegenze o di sbrodolamenti, misteriose cicatrici domestiche che non evocano più la ferita o la risata o il gemito di piacere che le ha accolte. E vecchie tovaglie macchiate di vino rosso, già passate invano da decine di trattamenti eppure conservate, forse in attesa che la ricerca scientifica arrivi a debellare le macchie incurabili – quelle rare e rarissime.

Nell'angolo di una tovaglia di lino c'è traccia di colatura di pipa, un impasto di saliva e fuliggine che poteva stillare dal bocchino quando lo si puliva, come un'arma da fuoco. La macchia risale agli anni, pochi per fortuna, in cui mio padre fumò la pipa, pulendola meticolosamente più volte al giorno. Era come se fumasse la pipa solo per avere la gioia di pulirla, il vero vizio non erano le volute di fumo, era trafficare con il nettapipe sporcando la tovaglia. La colatura di pipa è peggio del nerofumo, come se la saliva che la impasta, con i suoi batteri pimpanti, le desse una vivacità che l'inorganico non possiederà mai.

E poi le fotografie. Soprattutto le fotografie. Quelle di carta, le grevi antenate di quella moltitudine inconsistente che sono le immagini digitali, che basterà un soffio a disperderle. Scatoloni di fotografie sciolte, e albi a decine, a chili, una processione disordinata di figure che il tempo sta facendo svaporare, le tinte vivaci delle origini oggi ristrette nei pochi pigmenti ancora disperatamente aggrappati all'immagine, occhi che perdono sguardo, nasi ormai esangui, pettinature ridotte al solo contorno e svuotate della loro luce, volti di morti e di vivi che l'eternità irrisoria dello scatto fa sembrare comunque morti anche quando siano sopravvissuti. Alcune zie decrepite che sorridono nel loro angolo di inquadratura come se fossero già in posa per le esequie. E zia Carlotta, comunque, oggi che ne ha novanta pare più viva di quando, quarantenne, con i suoi pantaloni a sigaretta e il suo golfino girocollo, salutava da una località di montagna forse proprio me, qui e adesso, senza badare a quanta tristezza mi avrebbe procurato, cinquant'anni dopo, imbattermi nella sua sbiadita giovinezza.

Non bastasse il trascolorare delle immagini, anche la carta è lesa, macchiata dall'umidità, rattrappita.

Poche cose riescono a testimoniare la fragilità della vita umana come le fotografie di famiglia. La determinazione con la quale le si accumula ha qualcosa di follemente feticista, come quelle cripte fatte di femori e costole che si visitano nei paesi cattolici dicendo "caspita, chissà quanti cadaveri sono serviti, per costruirla"; e osservi quei muri e quelle colonne calcinate con lo stesso sguardo allegramente morboso, da collezionista, con il quale valuti il ponte di Brooklyn fatto con i Lego, o Notre-Dame fatta con i fiammiferi. I corpi umani usati come laterizi sono laterizi, non più corpi umani. E i laterizi diventano macerie. E le macerie si buttano nelle apposite discariche.

Ho uno scaffale intero di albi di fotografie, quelle di mia madre, quelle di zia Carlotta, quelle di zia Vanda, perfino le mie. Non le guardo mai. Neanche Maria le guarda mai. Mia sorella, esiste ancora mia sorella? Stanno lì, le fotografie, ma senza la seducente leggerezza dei fantasmi. Pesano. Come tutti i depositi e gli archivi, pesano. È incredibile quanto pesi la carta.

Voglio bruciare tutto. Sì, brucerò tutto, e nel fumo che sale al cielo vedrò danzare – finalmente – la mia libertà. Un trionfo, un azzeramento che trasforma cataste malferme in puro suolo. Metri cubi di ingombro ridotti a pochi centimetri di cenere. Tonnellate di peso in pochi grammi, così pochi che per disperderli non c'è nemmeno bisogno del vento.

11.
Un lavoro estivo

Si devono togliere i sassi dal campo grande di Severino. Come ogni estate. Una prima aratura li ha portati in superficie, biancheggiano tra le grandi zolle scure. Devono essere levati di mezzo per non rovinare i denti della fresa quando passerà a sminuzzare la terra, preparandola per la semina: sarà alla fine di ottobre, quando dalla mia finestra vedrò il trattore sparire dentro le folate di nebbia tirandosi dietro la seminatrice larga e bracciuta, e riapparire poco dopo mentre ridiscende lungo la linea accanto, avvolto nel suo fracasso. Tutt'altra luce regnerà su Roccapane, quando sarà autunno. Chissà se ci sarà Maria.

Niente, neanche il mare, cambia come un campo coltivato nel corso dell'anno. Colore, odore, consistenza, grado di vitalità, dalla calcinata nudità estiva alle morbide guazze autunnali, poi la neve immobile e risplendente, poi il verde tenue della primavera mano a mano più verde, sempre più verde. È un viaggio. Un campo è un viaggio, un periplo attorno al sole.

In certi lavori non c'è artificio meccanico che possa rimpiazzare mani e braccia, la composita leva del corpo umano che si piega al suolo – eccola, tecnicamente, la *humilitas* – e abbranca il sasso, lo solleva, lo posa sulla pala del trattore. Quando la pala è carica, il trattore va a buttare i sassi nel grande mucchio in fondo al dirupo. Sul trattore c'è la moglie di Severino, la Bulgara muta e sorridente che del marito è una specie di clone femminile. Gli assomiglia perfino nei tratti somatici, il viso rotondo, gli occhi scuri, gli zigomi distanti. Due uguali nati in luoghi diversi e poi fortunosamente ricongiunti dalla migrazione. Ogni vita è una mossa del caso; le migrazioni sono scacchiere ribaltate, con tutte le pedine che vanno a giocarsela altrove. E nelle valli come questa, se la risacca umana non portasse fino a quassù i vivi di altre parti del mondo, si marcirebbe di endogamia e cretinismo.

La Bulgara guida il trattore con lieta facilità, come se fosse in bicicletta, non credo proprio che abbia la patente: c'è spesso qualcosa di serenamente criminale, nel lavoro dei campi. Quando facevo il politico pensavo che tutto dovesse essere sottomesso al calco delle regole e delle leggi. Non potevo immaginare che questo fare da sé potesse avere una sua funzione naturale, e una sua giusta ragione.

Con i piedi e le mani a terra oggi siamo in tre, Severino, Federico e io, abbiamo i guanti da lavoro e il cappello di paglia che ripara dall'abbaglio del sole: è la fine di agosto, fa ancora molto caldo. Tre vicini di casa. Severino è il mio fratello di posto. Dissimili in tutto, ma da quando sono capitato qui si vive fianco a fianco, si passano assieme intere giornate. Federico, il ragazzo-pastore, sta con le sue capre poco più a monte, puzza di formaggio ma ha gli occhi tersi del profeta, voglio dire di uno che vede lontano. Non so perché abbiamo l'idea minacciosa del profeta come un vecchio ossuto e farneticante: Federico è giovane, bello e parla poco, eppure la sua natura di profeta io la posso certificare. Non solo la intuisco, proprio la so: quando lo vedo sbucare dal bosco e scendere verso casa mia assieme a Gonzo, il suo cane nero, pastore con pastore, mi sento illuminato come il campo che lui sta attraversando e io sto guardando, gli occhi stretti per la gran luce.

Severino, la Bulgara, Federico, io. Sono le piccole squadre amicali che si compongono in campagna a seconda delle incombenze di stagione, fuori da ogni gerarchia sociale e inquadramento normativo, lavoro puro offerto in cambio di altro lavoro, economia materiale che ha rispetto e conoscenza solamente di sé e misura il mondo in quintali sollevati e ore di fatica.

Io, che sarei il più propenso a ragionarci sopra, potrei anche chiedermi se siamo, noi quattro in questo campo, l'assurda sopravvivenza di un passato di stenti e durezze – le facce logore dei contadini, che a cinquant'anni ne dimostravano cento – oppure la guarnigione che proteggerà il mondo, quando qualche collasso tecnologico o la guerra o entrambi in combutta ci avranno riaffidato alla nostra natura di scimmie laboriose. Più tecnologico della simbiosi tra pollice opponibile e cervello, peraltro, esiste qualcosa? Dico, più in generale, esiste qualcosa di più avveniristico della natura così come si è sviluppata in due o tre miliardi di anni, dal protozoo fino a me? Si conosce un altro esperimento scientifico più solidamente verificato, contraddetto e incidentato milioni di volte, poi riavviato, perfezionato, ritoccato in ogni minuto dettaglio? E potete immaginare un lavoro migliore, più preciso, più dedito, più ragionato, di quello che stiamo facendo io, Federico, Severino e la Bulgara in questo campo d'agosto? A sera il campo sarà un biliardo.

Comunque non me lo chiedo, in quale segmento dell'evoluzione (o della devoluzione) siamo noi tre, chini sulla terra. Più la Bulgara senza patente seduta sul trattore, che adesso fuma la sua Camel. Non mi chiedo niente, lavoro con abbandono grato, senza altro pensiero che il lavoro. So che Federico, che come me è un cittadino in volontaria fuga, è sulla mia stessa lunghezza d'onda. Semmai ancora più contento: perché la sua fuga è stata più determinata della mia, più precoce e più cosciente, la scelta di un giovane visionario e non la ritirata di un politico sconfitto di mezza età. Ma Severino? Lui che questa fatica non l'ha scelta, e ci è nato dentro, costretto dal bisogno? Severino, il farmer contento, il mio migliore amico, sembra del nostro identico umore. Della vita nei campi è un testimone ineguagliabile, non c'è gesto agricolo che gli pesi o lo preoccupi. "Quello che c'è da fare, si fa" è una delle sue frasi ricorrenti. C'è della mansuetudine e c'è dell'orgoglio. Che siano stati d'animo in contraddizione, mansuetudine e orgoglio, è un grande equivoco.

Oggi quello che c'è da fare è levare i sassi. Nel mansionario al quale mi sto adeguando, in parte per necessità, in parte per farmi accettare dai miei vicini, levare i sassi è il lavoro più duro – peggio che usare la vanga, molto peggio che tagliare la legna – ma uno dei miei preferiti. Io lo so, perché: perché è un'esperienza geologica. Appaga la mia ansia di materia. Se potessi leverei i guanti per afferrare i sassi a mani nude, saggiarne la ruvidezza, sentire la differenza di temperatura tra la faccia superiore, esposta al sole, e quella inferiore, ficcata nell'umido della terra. Ma cerco di essere serio, già esposto come sono alla derisione allegra di Severino che mi dà, in quanto cittadino, del manidimerda.

La competizione fisica, quando si lavora nel campo, è nell'evidenza delle cose. E dunque, per stemperarla, per non offendere il meno prestante o il meno veloce, si genera humour, come un lubrificante che aiuta a lenire gli eventuali attriti. È un continuo deridere o commiserare i compagni di fatica, sottolineandone la debolezza e l'incapacità. Io comunque, per essere un manidimerda, tiro su i sassi che neanche Polifemo ce l'avrebbe fatta. Fino a che la mia schiena regge.

La Bulgara, secondo me, mi ammira.

12.
Sempre d'estate, un giorno a tradimento

"È lei Atiglio Campi?"

Il corriere è un ragazzo slavo dai modi spicci, con un'assurda uniforme a strisce gialle e rosse, compreso il berretto. Sembra la comparsa di una di quelle parate medievali che mandano in estasi i turisti americani e cinesi, con casalinghe e impiegati postali travestiti da damigelle e paggi; e gli sbandieratori, le alabarde, i gonfaloni, le contrade e le pagliacciate del genere. La cosa notevole è che anche il suo furgone è colorato alla stessa maniera, e dunque mi ritrovo davanti all'ingresso di casa un tizio a strisce variopinte sceso da un furgone a strisce variopinte, forse provenienti da un mondo a strisce variopinte. Gialle e rosse.

Volendo estendere lo spirito della mia legge (obbligatorietà dell'uniforme nelle scuole, forse ve ne ho già parlato) al settore degli autotrasporti, suggerirei una supervisione governativa.

Vedendomi distratto, il ragazzo a strisce ripete: "Atiglio Campi: è lei o non è lei?".

"Attilio," gli dico. "Mi chiamo Attilio."

Mostra una bolla di accompagnamento. Solo adesso mi rendo conto che lo striato non è un guitto salito fin quassù per dare spettacolo, ma un autotrasportatore che deve consegnare qualcosa. Gli dico che non aspetto niente da nessuno.

Non riesco a evitare una punta di ostilità nel mio tono, ma credo che non la avverta perché i corrieri vanno di fretta, non hanno tempo da dedicare alla psicologia del destinatario.

"Ci sono nove scatoli," mi dice.

Il termine "scatoli", tecnicamente preciso, testimonia che è un professionista, quello che mi sta parlando, anche se è vestito da imbecille; ma invece di rassicurarmi quella parola mi indispettisce, mi sembra insensata quanto il suo costume da contradaiolo. Un paggio che consegna scatoli. Non ero preparato, stamattina.

"Non aspetto *scatoli* da nessuno," replico secco.

Non si scompone. Ha un protocollo che lo sorregge e lo illumina in ogni tratto del suo itinerario. Proprio come Beppe Carradine. Avvicina al mio sguardo la bolla di accompagnamento. C'è scritto che il mittente è Campi Lucrezia, mia sorella. Figuriamoci. L'istinto è telefonarle subito per chiederle di che diavolo si tratta, ma in quel breve frattempo, mettendo a frutto la mia sorpresa, il paggio comincia a scaricare la roba sotto il portico. "Lascio qui," mi dice. È rapidissimo. Io del tutto inerte. Sconfitto. Contemplo affranto il cumulo che si compone in un baleno. Dalla postura ingobbita del ragazzo intuisco che si tratta di roba pesante. Mi allunga la carta da firmare e una biro, non a strisce.

"Ma che accidenti può essere?" gli chiedo come parlando tra me e me.

"Se non lo sa lei," risponde il paggio, e gli scappa un sorriso che attribuisco al sollievo dello scaricatore quando scarica, pari all'ansia del ricevitore quando riceve.

Risale sul furgone, saluta agitando il braccio multicolore e se ne va, in un festoso carosello di strisce gialle e rosse. Beppe Carradine l'avevo fermamente respinto; il paggio slavo, invece, ha sbaragliato le mie difese con facilità irrisoria. Quanto a consegna della merce, il commercio surclassa la religione.

Libri. Devono essere libri. Ulteriori metri cubi di libri che si uniscono alle centinaia, forse migliaia ancora chiusi e ammonticchiati ovunque, in questa casa e in quella di città. E nel magazzino romano che ho affittato per metterci le reliquie della pittrice pazza. Per giunta devono essere i libri di zia Vanda, quelli che anche il più disponibile dei rigattieri rifiuta, l'Enciclopedia della Casa, l'Enciclopedia della Donna, collane di romanzi sentimentali per signorine trepidanti, edizioni scalcagnate di classici che già possiedo in ogni possibile formato e calibro, pagine sgualcite, rilegature scortecciate eppure conservate nei decenni con la deferenza che si deve alla cultura. Come se quella copia ormai corrosa di *Per chi suona la campana*, così scardinata che le pagine, anche prese singolarmente, non sembrano più rettangolari, custodisse l'anima del suo autore, e liberarsene equivalesse a sopprimere il vecchio Ernest con la sua barba bianca, la canna da pesca, la carabina da caccia, le foto con Fidel e tutto il resto.

Sì, devono essere i libri di zia Vanda che mia sorella aveva stipato da qualche parte in attesa di rifilarmeli a tradimento. Guardo con ostilità gli scatoli incolori, di quel beige ingrigito che sembra studiato apposta per alludere alla polvere che impregna il contenuto. Chissà perché nessuno ha mai pensato che i traslochi, così faticosi, a volte così mortificanti, potrebbero essere almeno allietati da involucri variopinti, non dagli eterni cartoni smorti che poi qualcuno sadicamente ripiega per imballaggi futuri che andranno a intasare altre cantine, altri garage, altri stanzoni. Ma poi l'odore, l'odore inconfondibile di quel cartone opaco, muffo, che anche fresco di fabbrica già puzza di scantinato, di vecchio, di trascurabile e infatti trascurato. E lo scotch da imballaggio! Ha lo stesso colore delle calze curative, una specie di bigio inconsolabile.

Perché dobbiamo vivere tra le nostre deiezioni? Qualcuna degna di essere amata e conservata, non dico di no. Ma tutte insieme, nel loro incessante accumularsi, così eccessive, frastornanti, come una catena di barattoli rimasta impigliata al retrotreno. Andrebbe bene per rendere solenne e speciale una mattinata, un momento, una cerimonia, invece noi viviamo quotidianamente con i barattoli attaccati. Siamo un corteo di fuggiaschi inseguiti da barattoli. Se acceleriamo accelerano anche loro, ce li ritroviamo addosso a ogni frenata, sentiamo il loro clangore minaccioso – *siamo qui, siamo qui, non ti lasceremo mai.*

Adesso telefono a Lucrezia e gliene dico quattro, penso furibondo. Mia sorella e il suo terzo marito (il terzo, dico! Come se i primi due non fossero bastati a dare lustro alla sua testa bionda) hanno una vita molto intensa e molto coinvolgente, non hanno tempo per gli scatoli. E li rifilano a me. Non mi bastasse una moglie ingegnere di grandi opere, che passa la metà del suo tempo nel Maghreb o a Manila o dove diavolo, e l'altra metà negli aeroporti, ho anche una sorella che vive come una star, naturalmente non essendolo. Non discuto il suo *train de vie*, per carità, sono affari suoi e si vede che se lo può permettere, o meglio può permetterselo suo marito. Ma il risultato è che rimango a reggere da solo, come un eroe, questo pantheon di scatoli. Un'immane volta bigia.

Nella casa di Ospedaletti, dopo la morte della zia, credo che Lucrezia abbia messo piede al massimo un paio di volte, giusto il tempo di lamentarsi prima di quello che non c'era e poi di quello che era rimasto. A parte i libri che adesso sono qui davanti a me (dunque li aveva presi giusto per fingersi utile), si è portata via un paio di quadri decenti – "me li aveva promessi la zia" – e ha trattato il resto come un deposito naturale di detriti, una morena, una torbiera, qualcosa che il tempo aveva provveduto a forgiare e allo stesso modo avrebbe provveduto a smaltire. Lo stesso atteggiamento Lucrezia aveva adottato, quando morì la mamma, nei confronti delle stanze abitate per mezzo secolo dai nostri genitori. Ricordo di avere invidiato la sua incoscienza, senza nemmeno chiedermi se fosse menefreghismo o saggezza. Mi sembrò solo invidiabile leggerezza.

13.
Tantissimi anni fa, durante l'anno scolastico

A proposito di Lucrezia, la percezione che ho di lei è stata molto influenzata, quando ero appena un ragazzino, da una frase piuttosto rude del mio compagno di classe Colasanti Edoardo. Pronunciata abbandonando il libro di latino sulla scrivania della mia camera, e collassando sulla sedia con le braccia a penzoloni, in una delle più efficaci interpretazioni del ruolo di "colpito e affondato" che abbia mai visto. La frase era: "Tua sorella è veramente una grandissima fica!". Pronunciata con l'entusiasmo ancora intatto del quindicenne che comincia a prendere atto dello spettacolo della vita e delle sorprese che può riservarti: per esempio Kate Moss diciassettenne (mia sorella è quasi identica) che entra senza preavviso, senza che tu avessi mai potuto immaginare un simile miracolo, nella camera del tuo amichetto Attilio, saluta e se ne va lasciando nell'aria una tensione sospesa. Come una polvere di meraviglia.

Lo so da me, e lo intuivo perfino allora, che "grandissima fica" è una definizione non solo molto stringata, ma anche piuttosto goffa, perché nel tentativo di raffigurare una persona femmina riesce a esprimere soprattutto l'ottusa specializzazione del maschio. Infatti credo di avere detto a Colasanti Edoardo qualcosa di banalmente correttivo, tipo "guarda che è mia sorella", appena un gradino sotto il "ma come ti permetti?". Rendendomi subito conto, però, già mentre aprivo bocca, che tra la sua schietta rivelazione e la mia replica imbarazzata era la prima a segnare il punto.

E a ben vedere, dopo tutti questi anni, riconosco non solo che Colasanti aveva detto giusto – mia sorella è in effetti una grandissima fica – ma anche che le sue parole collocavano Lucrezia nel punto esatto del palcoscenico che lei, a diciassette anni, aveva di sicuro già individuato, e dove ama stare ancora oggi che ne ha tre volte tanti. Tenete come punto fermo Kate Moss, fatela appena più in carne e levatele ogni tormento interiore o ombra emotiva che intervenga a offuscarne lo sguardo, che in Lucrezia è perennemente acceso, e puntato diritto sul mondo. Lo si direbbe sfrontato, cioè frutto di un calcolo psicologico. È invece (come tutto, in Lucrezia) un dono di natura. Lucrezia è una lampada, da bambina faceva luce anche quando dormiva. Ve lo posso giurare. Non c'è arroganza né malizia nella sua interpretazione del ruolo, c'è piuttosto un'ingenuità creaturale, come l'otaria che nuota e il falco che volteggia. Tutto in lei esprime una festosa dedizione al proprio destino di grandissima fica, e questo mi fa molto riflettere: penso, a volte, che dovrei includerla tra gli umili. Poi mi basta vederla scendere dalla Jaguar dodici cilindri del suo nuovo marito per cambiare idea.

Dicono che poi queste scelte monoculturali – accontentarsi di risplendere, e basta – si paghino a caro prezzo, con gli anni. Che bisognerebbe diversificare gli investimenti, evitando di puntare tutto su un solo settore, perché ai primi collassi delle membra, alle prime perdite di pienezza e di fascino, ti ritrovi col culo per terra, e per giunta non è più il culo dei tuoi vent'anni. Ma in difesa di Lucrezia bisogna dire, prima di tutto, che è fuori luogo parlare di "scelta": ci si è trovata, in quei panni, da quando è nata, con la gente che fermava per strada mia madre (incinta di me?) per complimentarsi della bimba nel passeggino; poi sbaragliando ogni concorrenza nei primi casting pubblicitari (è lei la bambina dello yogurt che diventò la ragazzina della polizza sulla casa che diventerà la signora della crema antirughe alla curcuma); poi, quando al suo ingresso nella mia stanza i miei amici – mica solo Colasanti – assumevano un'espressione esageratamente cordiale, quel tono sopra le righe, in realtà vulnerato, del maschio inchiodato alla sua croce di pretendente. Per giunta, sempre parlando di Lucrezia, è molto difficile che l'inevitabile decadenza fisica possa toglierle più di quanto fin qui acquisito. Tre mariti, i primi due abbastanza ricchi e molto ricco l'ultimo, Thierry, un finanziere franco-libanese che deve considerarmi un ebete fallito, perché le due volte che ci siamo visti non mi ha mai rivolto la parola, nemmeno quel tanto che mi sarebbe bastato per dimostrargli che sono, invece, un fallito intelligente. Più i fidanzati, che sono stati numerosi e molto assortiti, dall'assistente universitario degli esordi allo skipper greco all'attore londinese, restando a quanto ne so io.

Sempre a quanto ne so io, questa turbinosa vita sentimentale non le ha inferto, come capita di solito, particolari disagi e cicatrici. L'ho sempre vista sorridere, Lucrezia, le volte che mi ha raccontato in modo molto succinto le sue vicissitudini, e non era il sorriso dello stoico che non vuole mostrarsi piegato; era il sorriso di chi è uscito indenne dall'incidente, e forse neanche si è accorto che era un incidente.

Non le sono stati d'impaccio, in questa corsa dissennata eppure serena, neppure il paio di figli, femmina e maschio, avuti dal primo marito. A lungo palleggiati fra tate e parenti, ora vivono a Salonicco con il padre – non chiedetemi perché a Salonicco. Anzi, non chiedetemi mai nulla, a proposito di Lucrezia, che non sia la pura registrazione degli eventi. So solo di avere due nipoti che non vedo mai. Del resto, anche Lucrezia non la vedo quasi mai. Figuriamoci. Però ogni tanto penso che un soggiorno di quei ragazzi a Roccapane, sotto la mia guida o meglio ancora sotto la guida di Severino e della Bulgara, e in compagnia di Federico, le sue capre e il cane Gonzo, li aiuterebbe a trovare quadratura, essendomi fatto a distanza, per puro pregiudizio, l'idea di due figli di papà che avrebbero bisogno – da subito – di imparare a misurare il mondo con la vanga, la carriola, la motosega. Illuminati dall'affettuoso magistero di loro zio e del suo amico farmer.

Credo di avere sviluppato l'idea dell'uniforme obbligatoria nelle scuole di ogni ordine e grado anche pensando ai miei due sconosciuti nipoti, che immagino in costante balìa di incurie affettive, e relativi vizi compensativi, a nome dell'intera gioventù europea, smidollata e abbandonata a se stessa. Poveri ragazzi incoscienti del fatto che la guerra, quando arriverà, scaricherà il suo peso infame quasi tutto sulle loro spalle. Sono vecchi mascalzoni, in genere, a dare il via alla guerra, ma sono poi i loro figli a crepare. Probabile che lo facciano apposta, i vecchi mascalzoni, a far crepare i figli, per invidia della loro giovinezza.

Non ho un ricordo troppo nitido dell'infanzia e poi dell'adolescenza, ma penso che avere avuto fin dalla nascita, come parametro del femminile, una versione migliorata di Kate Moss, avere diviso fino ai miei undici anni (tredici suoi) la cameretta e il bagno, insomma avere avuto tanta dimestichezza con quella notevole approssimazione del divino – qualunque cosa esso sia – che è la bellezza femminile, abbia influito non poco sulle mie assurde pretese in fatto di donne. Se ne ho avute, in quasi mezzo secolo di vita, solo tre, è anche per colpa di Colasanti Edoardo, che con le braccia a penzoloni e l'espressione esterrefatta mi aveva indicato, senza volerlo, l'inaccessibile altezza dell'eros, incarnatosi proprio in casa mia, a pochi metri da me, nella persona di mia sorella Lucrezia. Non è una responsabilità e tanto meno un merito, essere suo fratello. Sono, per giunta, decisamente meno bello di lei, le assomiglio poco, si fa davvero fatica a inquadrarci come fratelli. Dev'essere dunque per pura esaltazione maschile che stabilii, intorno ai miei quindici anni, che in quanto fratello di Kate Moss avrei dovuto e potuto ambire solamente a femmine meravigliose. Dicono gli psicologi che è un tipico segno di fragilità maschile, desiderare solo le donne bellissime. Nel mio caso, qualunque fosse la molla del meccanismo, è stato comunque un modo per affinare le mie facoltà – e anche la mia arroganza. Come se avessi voluto iscrivermi all'università senza passare per medie e liceo. Zero tappe intermedie. Uno sforzo bestiale, ma anche una sfida avvincente.

Mi sono spesso domandato se non ci sia qualcosa di incestuoso nel pretendere che ogni femmina sia quasi (almeno quasi) bella come mia sorella, ovvero come la ragazza con la quale ho vissuto dagli zero ai vent'anni. Ma no, nemmeno la più severa introspezione riesce a scovare qualcosa di ambiguo nello spensierato cameratismo dell'infanzia, poi nella benevola indifferenza reciproca della pubertà, ognuno nella sua stanzetta e con i suoi pensieri. La familiarità anche fisica, le liti manesche, la promiscuità confidente sono state quelle che devono essere tra due fratelli di età molto ravvicinata – neanche due anni di differenza – cresciuti insieme, stessi giochi e spesso stessi amici. Non è quello, dunque, il punto.

Il punto è che volevo dimostrare a Colasanti Edoardo, per tipico spirito di competitività maschile, che io sarei stato grandissima fica almeno quanto mia sorella. Ero invidioso di lei, del colpo micidiale che assesta al suo ingresso in ogni stanza. E lo sono ancora. Se sono diventato l'ambizioso esagitato che, per lunghi anni, ha imperversato in Italia e all'estero, prima facendo il piccolo editore di libri pretenziosi (primo fallimento), poi aprendo un ristorante di cibi pretenziosi (secondo fallimento), poi avendo un certo successo come politico pretenzioso e sperperandolo rapidamente (terzo fallimento), è stato per dimostrare a me stesso che valevo più di quanto mi possa permettere. Quando penso a me stesso, nei momenti di umore negativo mi capita di classificarmi, insieme alle cose di zia Vanda, tra i "vorrei ma non posso". Chissà che non sia anche per questo che esito tanto a disfarmene, delle cose di zia Vanda.

14.

La cena di questa sera, ringraziando il cielo

Il solo accumulo domestico che non mi dà angoscia, e anzi mi conforta, è quello del cibo. Devo avere avuto, in vite precedenti, una maledetta fame. Devo avere conosciuto penuria e spavento. E qualcosa, nel mio profondo, conserva memoria di quegli stenti, perché niente come una dispensa ben fornita mi fa sentire al sicuro, e basta una tavola apparecchiata a rendermi felice. Se venite a Roccapane, in qualunque stagione, una sera qualsiasi, in un paio d'ore posso mettere sedute davanti a un buon piatto e a un buon bicchiere anche una decina di persone. La mia casa è come una barca ben stivata, possiamo partire quando volete, non c'è siccità o tormenta che ci metta in difficoltà. I pochi soldi che ho, in sostanza quelli di Maria, li spendo in buona parte per il cibo.

Istruito da Severino, che queste cose le sa, ho fatto in modo di non dipendere solo da un freezer capiente, perché il ciclo del freddo è troppo esposto agli incidenti: basta una nevicata che abbatte la linea elettrica, un guasto banale, per non dire della guerra che – credo di avervelo già detto – è praticamente alle porte. (In qualche fabbrica oltre gli Urali o nel Nevada o in India o in Persia o giù di là, la produzione di cannoni e mezzi blindati procede febbrile, e il mostro metalmeccanico presto uscirà dagli antri che lo stanno incubando per annichilire, con un tremendo ruggito, l'evanescente pi-

golio elettronico che ci ha distratto negli ultimi vent'a
capirà finalmente a che cosa servono *davvero* l'elettronic
droni e i sistemi di puntamento e tutte le sofisticherie conge
neri: ad assistere le bocche da fuoco, guidare i tank, pilotare
gli aerei, distruggere le città, annientare la vita quotidiana,
disegnare dal cielo, precise al centimetro, le mappe lungo le
quali saranno poi gli stivali dei soldati e i cingoli dei carri a
dare corpo alla guerra. È l'elettronica che assiste la meccanica, non viceversa, così come ogni cosa immateriale finisce,
prima o poi, per inchinarsi alla materia.)

Però stavo dicendo del freezer. Ci si deve fidare fino a un
certo punto, come di tutta la roba attaccata a una presa elettrica, compresi i nostri cyber-ninnoli, che se la tirano tanto
da folletti dell'aria ma senza energia elettrica che li sostiene si
fermano esattamente come i giocattoli di latta dei nostri non-
ni quando la chiave a molla esauriva la carica. Dietro alle ete-
ree, sottili miniature silicee che maneggiamo come nostri ter-
minali nervosi ci sono le dighe di cemento armato, le pale
eoliche gigantesche, i pannelli solari che gravano sui tetti come lastre di ardesia o coprono i campi come corazze. Maria
lo dice sempre, che sono le tonnellate a reggere il mondo, i
sacchi di cemento, i tondini di ferro, i tubi di acciaio. *Sono le
tonnellate a reggere il mondo*: mi sembra di sentire la sua voce che lo dice. Dove diavolo sarà, a quest'ora, Maria? Starà
bevendo un tè all'aeroporto di Dubai, o sarà già sull'aereo
per Roma, avvoltolata nella copertina beige, seduta chissà di
fianco a chi?

Legumi, farina, patate, zucche e salumi si conservano bene in una buona cantina, o nell'armadio asciutto di una stanza fresca. Bastano il buio e la temperatura costantemente set-
tentrionale che la terra offre avvolgendo i locali interrati
nella sua presa protettiva. C'è un nord sotto ogni casa, anche

...bitate in una casa senza una vera cantina,
...cate.

...me la mia temono – da secoli, e per i prossi-
...a cosa: le razzie dei soldati, quelli regolari
...tenentino spocchioso che magari ti mostra
... con scritto SEQUESTRO per dire che tutto è
...uerra; e quelli sbandati, i peggiori, branchi
famelici e ingovernabili. Ma dubito che Roccapane possa avere un interesse strategico, anche solo di retrovia. Siamo lonta-
ni da qualunque ipotetico fronte e anche dalle principali vie
di comunicazione. Siamo il ramo di un ramo di un ramo, un'i-
nezia geografica, uno sportello perduto del Banco della Natura. Anche in caso di guerra, prima di vedere qualche soldato
quassù ci vorrebbe un sacco di tempo. E le provviste sappia-
mo dove nasconderle, noi qui a Roccapane.

Non invidio chi considera il cibo una normale pratica di
sopravvivenza. Gli è sfuggito qualcosa di fondamentale – e
di molto gioioso, per giunta. La sopravvivenza non ha proprio niente di normale, è un miracolo estorto alla carestia,
alla sopraffazione e alla guerra, che già gratta alla porta con
le sue unghie ferrate. Qualora un Dio appena appena intelligente dovesse giudicarci, il peccato più grave che saremmo
chiamati a pagare è la nostra stupida assuefazione alla vita,
che è invece una condizione sorprendente, e come tale andrebbe salutata ogni giorno che campiamo. Perfino il bizzar-
ro Dio di Beppe Carradine, con Spirito Santo incorporato e
non certo (errore! gravissimo errore!) persona distinta, sarebbe in grado di perdonare in un attimo le nostre veniali
debolezze – l'ira, l'invidia, l'avidità – e invece condannarci
per avere dimenticato di essere stati, in vita, molto vivi. E
molto fortunati se al caldo e ben nutriti. Tutte cose che con-
sideriamo "un diritto", non si capisce bene per quale disgui-
do mentale – essere vivi non è un diritto, è un prodigio.

Quando facevo politica cercavo di usare la parola "diritti" solo lo stretto indispensabile. Se ne abusa. Diritto di qua, diritto di là... abbiamo ancora addosso l'odore delle caverne e prima o poi ci torneremo, perché non proviamo ad abbassare la cresta? Ringraziate il cielo di essere vivi e non rompete i coglioni più dello stretto necessario.

Io comunque, a proposito di caverne, ho nella mia rimessa la sega a mano e l'ascia, per quando non ci fosse più benzina per la motosega; la stufa a legna è sempre ben pulita e con la cappa pervia, per quando dovesse finire il gasolio; e legna, ne ho quanta ne basta per passare al caldo almeno un paio di inverni. Con Severino e la moglie bulgara, in tre, in una giornata ne tagliamo almeno cinquanta quintali.

"Quando picchia la grandine sui coppi, ringrazia per avere un tetto; e quando la zuppa fuma nel tuo piatto, ringrazia per avere del buon cibo": dovresti andare in giro a dire questo, Beppe Carradine, invece di tutte quelle fatue chiacchiere a proposito della Trinità e della forma di Dio. Dio è un triangolo? Ma per carità, smettetela. Vi prego, ricomponetevi. Se vi presenterete una sera di queste alla mia mensa, chiedendo con la dovuta gentilezza di essere ammessi, io vi aprirò la porta, a patto che lasciate fuori, appoggiati sul tavolo di pietra sotto il portico, i vostri Libri.

La zuppa, stasera, è di lenticchie e cavolo nero, con un paio di patate per dare corpo e un porro nel soffritto per dare carattere. Il porro, nelle mie zuppe, è insostituibile. Mentre cucino, a differenza di quando lavoro nel bosco o nei campi, penso parecchio. Penso a tutte le cose che vi ho appena detto: ai mobili di zia Vanda e alle chiavarine da bruciare, al giorno che farò la pace con Ettore Mirabolani, al giorno che spiegherò a Beppe Carradine che genere di predica dovrebbe fare per non vedersi chiudere la porta in faccia, ai due figli di mia sorella Lucrezia che sicuramente si drogano a Salonicco, al giorno che aprirò il carteggio di mia madre con Sandro Losandro, oppure lo brucerò; sempre che, nel frattempo, la guerra non abbia deciso di sciogliere, insieme ai miei, tutti i nodi del mondo.

Tra un pensiero e l'altro, mentre cucino, faccio la conta dei presenti. Maria, come quasi sempre, non c'è. Verranno Severino e la Bulgara, il giovane Federico (sperando si sia levato di dosso l'odore di capra) e forse – sarebbe un vero miracolo – mia sorella Lucrezia di passaggio in Italia con l'ennesimo marito, sempre che sia lo stesso della volta scorsa. Il riccone. Quello che mi considera un idiota. Se c'è una cosa che mi rende orgoglioso è riuscire a mettere a tavola un gruppo umano così composto, avventori di attitudini e costumi così diversi, eppure uniti dalla mia tavola: due contadini veri, una grandissima fica di città con il marito franco-libanese, un allevatore di capre in probabile fuga dall'eroina. A capotavola un ex politico, Attilio Campi. Si parlerà di un sacco di cose, come sempre.

Se ne avessi il coraggio, e se non fossi pigro, una di queste sere all'inizio della cena, con la zuppiera che fumiga, mi alzerei in piedi per celebrare l'unico rituale al mondo che vale la pena onorare. "Rendiamo grazie per questo cibo e questa compagnia." Poi raccoglierei da terra il tovagliolo che mi è scivolato dalle ginocchia, sarebbe una buona maniera per nascondere l'imbarazzo.

Si deve mangiare tutti assieme e alla stessa ora, una casa dove la tavola non è il segno dell'unità e dell'amicizia non è una casa. E prima di mangiare si deve stare almeno un istante in raccoglimento. Anche zitti, volendo.

Mia sorella ha telefonato che non viene. Figuriamoci.

15.
La pace con Mirabolani, prima o poi

Scendo in città. Seduto al tavolino del caffè Ibis, dall'altra parte della strada, c'è un uomo sulla quarantina, con i calzoni di velluto chiaro e un maglione nero, capelli castani spettinati, occhiali con la montatura azzurra, insomma impostato da intellettuale. Sta trafficando con il suo palmare. Lo riconosco: è Ettore Mirabolani. Non l'avevo mai visto di persona. Solo in fotografia.

Decido di affrontarlo: questa è l'occasione giusta. Perfetta nella sua normalità di strada, senza la solennità eccessiva dell'appuntamento, così che le parole che mi usciranno di bocca saranno spontanee, più verosimili e sincere. Così voglio cercare di essere: verosimile e sincero. La sorpresa di vedermi all'improvviso di fronte a lui gli impedirà di reagire, ne approfitterò per dirgli quanto gli va detto senza che mi interrompa. La mia proposta di pace deve lasciarlo senza parole. Forse addirittura con gli occhi umidi.

Certo bisogna che eviti, io in piedi lui seduto, di sembrare incombente, o peggio minaccioso. Dunque non dovrò fermarmi proprio a ridosso del suo tavolino, ma a un paio di metri di distanza, e con una postura possibilmente morbida, non impettita, colloquiale e non comiziante. È molto importante, penso, che Mirabolani rimanga sorpreso ma non spaventato, desidero che la mia irruzione nella sua giornata non

produca l'effetto traumatico dell'incidente, ma quello bene-
fico della rivelazione. Capirà al volo quanto mi aveva giudicato male; quanto diverso io sia tanto da lui (ma questo è
ovvio: lui è uno stronzo, io no) quanto dal me stesso bellico-
so che lo aveva trascinato in giudizio.

Il mio stato d'animo, mentre attraverso la strada, racchiu-
de in forma concentrata e turbinosa l'intero dibattito fin qui
allestito, tra me e me, sul tema della pace con Mirabolani: se
porgere la mano al nemico, dimostrandogli la propria gene-
rosità d'animo, non sia per caso la più raffinata delle forme
di prevaricazione – la detestabile alterigia del buono che si
china caritatevole sul malvagio. E non sia dunque molto più
umile – visto che è l'umiltà il mio obiettivo – ammettere il
proprio astio, accettare la propria miseria emotiva, il proprio
povero sbattersi tra poveracci. Dunque sputargli in faccia,
rotolandoci poi nella furia della zuffa come cani rabbiosi, av-
vinghiati sul marciapiede, travolgendo tavolini e mandando
in cocci bottiglie e bicchieri, circondati dallo sbigottimento
impotente degli avventori.

Ma dare scandalo, questo lo capiscono tutti, è il contrario
dell'umiltà – lo scandalo sovraespone, più sei additabile meno puoi dimenticare e farti dimenticare, e niente è peggio,
per chi cerca requie, che finire sui giornali come rissante da
marciapiede, se sei sfortunato anche con fotografia del volto
tumefatto, i lineamenti ancora svirgolati dall'ira. No no, per
carità, la via giusta, come stabilito da tempo, è quella della
rappacificazione, quella del basso profilo, del sorriso man-
sueto, della remissione dei torti. Devo solo stare bene attento, questo sì, a impostare la pace con Mirabolani sul presup-
posto, indispensabile, di una comune bassezza. Devo stare
bene attento a non manifestargli superiorità morale. Nemmeno l'ombra. Quella che deve percepire è la mia consape-
vole rinuncia ad avere ragione: tanto più ammirevole in
quanto la ragione è *davvero* solo mia.

Attraverso la strada senza affrettare il passo e badando a controllare il respiro, ma concentrarsi sul respiro è già una maniera per non respirare normalmente, così che quando salgo sul marciapiede, a pochi metri da lui, avverto un leggero fiatone e il battito cardiaco accelerato. Sto anche cominciando a sudare.

Ho appena ripassato, tra le dieci o cento frasi più volte ritoccate e perfezionate – e ormai levigate dall'uso immaginario –, la sequenza che mi sembra più efficace, diciamo quella classica:

"Tu sei uno stronzo, Mirabolani, e fin qui non abbiamo scoperto niente. Ma c'è una grande novità: ho capito di essere un emerito stronzo anch'io. Dunque, stringiamoci la mano e facciamola finita". Ripeto quelle parole tra labbra e denti, nel breve transito tra gli autobus e i motorini, e certamente se qualcuno mi sta osservando che muovo le labbra e gesticolo penserà che ho il telefono in tasca e sto parlando con qualcuno, come quasi ogni passante di questa città. (I matti che parlano da soli non hanno neanche più il privilegio di essere riconosciuti come matti, ovvero come rari e speciali: perché vedendo una persona per la strada che parla a voce alta senza interlocutori visibili nei pressi, nessuno pensa più, come fino a pochi anni fa, al matto che parla da solo; tutti pensano al normale che telefona.)

Appena il tempo di meditare brevemente sulla mattia individuale ormai usurpata da quella collettiva, e mi ritrovo a un passo dal tavolino di Mirabolani. Più vicino di quanto avessi calcolato. Mi fermo davanti a lui. Un ultimo respiro profondo prima di parlare. È il momento tanto atteso. Sentendosi osservato alza la testa, mi fissa con curiosità, lo sguardo miope dietro gli occhiali azzurri. Lo guardo meglio. Mi ero sbagliato, non è Ettore Mirabolani.

Mi allontano a passi veloci.

16.
L'acqua, nel caldo torrido

Severino e la Bulgara non ci sono, rientreranno solo domani mattina. Mi hanno chiesto se, dopo avere annaffiato le mie piante, posso andare a bagnare anche le loro. Annaffio sempre con piacere. Mi piace molto.

Quando non è il fuoco, o l'idea del fuoco, a tenermi compagnia, è l'acqua la presenza più assidua nelle mie giornate attorno a casa, specie adesso che è estate. Non avrei mai immaginato, fino a quando sono venuto ad abitare qui, che l'acqua e il fuoco fossero così determinanti nella vita degli uomini. Basta sbucciare appena l'involucro tecnologico che ci imbozzola per scoprire che il nocciolo del reattore è ancora immutato, nei milioni di anni. Il motore del mondo è sempre quello, una manciata di relazioni tra gli elementi. E quello tornerà quando, passata la guerra devastante che sta per arrivare, si dovrà ripartire – se saremo ancora vivi – da ciò che diamo per scontato, e che ci sembra niente. E che invece è quasi tutto: il caldo, il fresco, il cibo, la buona salute, una porta chiusa.

Taglio e accatasto nella bella stagione la legna da ardere per affrontare l'inverno, scaldarmi e cucinare, cacciare l'umido dalla casa e dalle mie giunture. E in autunno, inverno e primavera sorveglio l'accumularsi dell'acqua piovana che gronda dal tetto per finire nella grande vasca di raccolta accanto alla casa. Quando arriva la vampa estiva sono munito come si deve essere, ho i metri cubi, le tonnellate d'acqua ("Sono le tonnellate, che reggono il mondo") per dissetare l'orto e le piante attorno, lavare la polvere dal portico, rinfrescare il prato. In questa maniera il mio tempo si dilata e cambia forma, non ha più la struttura lineare dei giorni ma quella circolare dell'anno, perché nella neve io penso a come affrontare la siccità, e a torso nudo, nell'afa, a come riscaldarmi in inverno.

La muraglia dei ciocchi misura non solamente se stessa, in quintali bene allineati, ma il tempo che va e il tempo che arriva. Nella luce abbagliante di luglio già immagino attorno alla corteccia rugosa del rovere, a quella liscia dell'orniello, a quella cerchiata del ciliegio, il mulinare del primo, sottile nevischio.

Ma adesso – estate piena – è il tempo dell'uomo annaffiatore. Nella terra smossa l'acqua gorgoglia appena, poi subito sprofonda e scende alle radici. Il cambiamento di stato del terreno, già al primo fiotto, è immediato: da pallido e screpolato diventa scuro, denso e aromatico. L'acqua risveglia un coro di umori disseccati. Sale un odore inebriante, un aerosol di porcheriole feconde, batteri, microrganismi, merde di insetti, oli vegetali, erbe in decomposizione, particole umilissime che formano la nube potente dell'odore di terra bagnata. Tra gli odori della vita, quello di terra bagnata è uno dei più grati e rappresentativi. Schiude il naso e porta alla fronte, che è sede del nostro comprendonio, notizie del giubilo in corso al livello del suolo.

Quell'attimo di esordio, quando il terreno beve avidamente, è perfetto ma piuttosto breve. La fase successiva è più complicata, più contrastata. Dipende da quanto il terreno è in grado di ingoiare (quello argilloso poco, e molto lentamente); da quanto capiente e ben rincalzata è la trincea rotonda scavata attorno alla pianta; se il getto d'acqua è regolato bene, non troppo impetuoso perché romperebbe l'argine disperdendosi attorno, ma neanche stitico, perché diventa estenuante stare lì fermo con il tubo di gomma in mano, dubitando di fare in tempo a dare acqua quanta se ne dovrebbe a tutta la schiera delle piante in attesa.

Annaffiare è magnifico. Sei il vicario del cielo, reggi tra le mani un temporale addomesticato, ti senti potente e provvido. Ma non è per niente semplice, annaffiare. Non bisogna avere fretta: il suolo non va ingozzato, perché vomiterebbe quasi tutto, va nutrito rispettandone i tempi di assorbimento, dunque per dare acqua a molte piante non puoi, non devi, avere fretta. Neppure puoi prendertela troppo comoda, specie se come me stasera hai da bagnare non solo le tue piante ma anche quelle del vicino. Ad aspettare l'acqua sono in tante e la luce, anche se è estate, a un certo punto se ne va, e al buio si rischia di sbagliare, omettere, calpestare. Per annaffiare bene devi vedere bene, tanto il particolare quanto l'assieme.

È l'assieme che detta legge. Per quanti favoritismi si possano fare, è inevitabile amministrare l'acqua con un criterio sociale: non è *quella* pianta, è il collettivo vegetale, è il giardino, è l'orto, è il mondo che attende la tua cura. Diventi socialista quando annaffi, per forza di cose, perché ti parrebbe ignobile e soprattutto irrazionale trascurare una pianta in favore di un'altra. Esistesse il tubo infinito – infinito e leggero, che non pesa tra le mani, e si srotola lungo i meridiani e i paralleli senza mai un incidente, un intoppo, un nodo –, e fosse infinita una di queste mie sere estive, proseguirei fuori dal giardino, a cerchi larghi, a dare acqua a ogni stelo, ogni albero, in tutta la vallata e oltre, traversando strade e autostrade. Il tubo di gomma, se è buono, continua a lavorare imperterrito anche se ci passano sopra i camion. Andrei in giro per il mondo a dare acqua a tutte le piante.

Cerchi di contare mentalmente i secondi necessari per bagnare ogni individuo. Io li conto, a volte, sillabando, inebetito dal ritmo lento e musicale del tempo, come se stessi sgranando un rosario. Se il fiotto è di portata gentile, come deve essere, puoi contare una sessantina di secondi, un minuto tondo, per somministrare i cinque o sei litri necessari alle piante in terra; per quelle in vaso può bastarne la metà. Metti che le piante siano una cinquantina: fanno tra i trenta e i cinquanta minuti per ogni annaffiatura, a seconda di quante sono le piante a terra, quante quelle in vaso. Ma questo tempo va quasi raddoppiato, perché si devono mettere nel conto lo srotolamento del tubo; il suo difficile governo, perché non è stato ancora inventato tubo di gomma che non si attorcigli, si impigli, formi un'ernia che blocca il flusso; l'andirivieni per aprire e chiudere il rubinetto se serve, e serve spesso; mentre l'allegro sacramentare agricolo batte il tempo, come un blues, dell'intera operazione. Si arriva a superare abbondantemente l'ora di lavoro. Una buona annaffiatura di un giardino medio dura circa un'ora e mezzo.

Il tempo si accorcia non di poco se avete un assistente che vi dà una mano a dipanare il tubo; e meglio ancora se si incarica, su vostro ordine, di aprire e chiudere il rubinetto all'occorrenza. Ma io devo arrangiarmi da solo perché Maria non c'è quasi mai, e quando c'è legge. Mentre annaffio ogni tanto, giusto per la forma, mi grida "hai bisogno?". Però senza alzare il naso dalla pagina. Di solito gli ingegneri leggono poco e preferiscono la prassi. A me è toccato in sorte un ingegnere letterato, che quando è ingegnere non sta con me perché viaggia per il mondo, e quando non è ingegnere non sta con me perché legge.

Io conoscevo l'acqua come la conoscono i cittadini, una banale conseguenza del rubinetto, una presenza scontata, una bolletta condominiale. Non la conoscevo come principio, l'elemento madre dal quale tutto origina, l'anima del mondo. È la dea del Movimento, ma anche della Forma: senza il suo impeto non si scavano le valli, senza la sua carezza sparisce il verde, la terra diventa calva, e il mondo non solamente sarebbe arido e sterile – sarebbe informe. Abitando in mezzo ai campi si impara a dipendere dall'acqua. Dipendere: ovvero abbassare la cresta. Si dipende dal sole e dalla pioggia, ancora oggi che ci crediamo chissà che cosa perché portiamo in tasca quattro pixel, si dipende dal sole e dalla pioggia, da nient'altro. Si scruta il cielo, si guardano le nuvole chiedendosi quanta potranno darne, le si vede andare via e ritornare, cambiare di forma e di densità, minacciare caterve distruttive o promettere pioviggini feconde. Chi guarda le nuvole sta guardando l'acqua, dunque sta pensando alla terra e al proprio destino. Chi non alza mai lo sguardo al cielo non sa niente della terra che calpesta. Non sa niente nemmeno di se stesso.

17.

Progettare fuochi ma non accenderli, arriverebbe la forestale

Le chiavarine, accatastate con una certa cura, sono perfette come struttura portante. In molti dei miei progetti di pira le chiavarine sono la componente decisiva, quella grazie alla quale la struttura prende forma e il fuoco può lavorare bene.

Non tutti i mobili garantiscono la stessa combustibilità delle chiavarine. Il canapè fiorato di zia Vanda, per esempio, è troppo ingombrante, dovrei prima dimezzarlo con la motosega, forse poi completare la riduzione a colpi d'ascia. Non che mi dispiacerebbe, infierire con l'ascia su quell'orrore. Ma a parte lo spreco di tempo e di lavoro, mi toglierei il piacere di vederlo bruciare nella sua interezza, in quanto canapè di zia Vanda, e non ridotto a uno sfasciume irriconoscibile di legno tarlato e molle cigolanti. Merita un rogo tutto suo, ben sistemato al centro dello spiazzo. Ritengo che solo conservando la sua forma di canapè possa finalmente liberare, tra le fiamme purificatrici, le povere anime che hanno ancora le chiappe incollate a quel tessuto derelitto. Potrebbero finalmente salire al cielo e abbracciare il silenzio, salve dall'incombenza di quelle meste conversazioni sulle malattie, le terapie mai risolutive, il tempo che fa e quello che invece dovrebbe fare, o piove sempre o non piove mai, cara signora, anche qui in Riviera non è più come una volta.

Meglio ancora se il canapè fosse l'architrave di un solo

grande rogo monotematico, consacrato alle cose di zia Vanda nel loro insieme. Perché le cose di zia Vanda, come ho già avuto modo di spiegare, sono un insieme molto definito. Magari, per evitare che l'incendio mi prenda la mano e ingigantisca, allertando anche i satelliti nella ionosfera e richiamando l'attenzione della forestale, bisognerà aggiungere le cose nel falò poco a poco, quasi una per una. Però avendo cura che il falò sia sempre il medesimo, celebrando in una sola prolungata vampa il mio congedo definitivo dalle cose di zia Vanda. Durata prevista del rogo: da mattina a sera. A un rogo di grandi dimensioni si deve consacrare un'intera giornata. Non è un tempo eccessivo, se si pensa alla mole notevole da incenerire, ma bisogna considerare che il fuoco non va mai lasciato incustodito, specie se spira un po' di vento (se il vento è molto, il fuoco non va acceso, ma questo lo sanno anche i bambini).

Naturalmente si possono fare anche altre cose, mentre si tiene d'occhio il fuoco. Basta non allontanarsi troppo. Si può leggere, scrivere, telefonare, chiacchierare, sbrigare qualche piccolo lavoro nei dintorni. Ma senza perdere di vista la danza delle fiamme. Bisogna alimentarle quando languono. Invece diradarle se sono troppo alte e concentrate, con pochi sapienti aggiustamenti all'interno della catasta. Serve un forcale di ferro a tre denti, con il manico lungo per non avvicinarsi troppo. Sconsigliati i forcali con i denti fitti, che invece di afferrare le cose per risistemarle a dovere le urtano e le fanno franare in ordine casuale. Idem pale e vanghe, ogni utensile ha una sua destinazione e non va usato a sproposito. Diffidate di chi governa un falò con gli attrezzi inadatti. Chi non sa lavorare, non sa vivere.

È proprio vero, comunque, che le cose di zia Vanda pretendono attenzione ben al di là dei loro demeriti: come se neppure essere orribili bastasse a zittirle, e dai loro depositi polverosi, come un coro di anime in pena, reclamassero la mia attenzione notte e giorno. Mi distraggono, mi fanno perdere il filo, si intrufolano anche nei progetti che non le riguardano. Ero rimasto a tutt'altro rogo, quello impostato sulle chiavarine. Lo immagino come un rogo di medie dimensioni, una mattinata al massimo, le chiavarine protagoniste indiscusse con l'aggiunta, però, di parecchio materiale accessorio, molto assortito. Nell'ampio spazio tra le gambe delle sedie, che garantisce alle fiamme di respirare, potrei per esempio infilare i faldoni con i documenti fiscali scaduti. La carta brucia con difficoltà, specie quando è compressa in risme, dunque dev'essere immessa in una pira già ben avviata. Poi, non so ancora in quale ordine (dipende da come il rogo si sviluppa), qualche mezzo rotolo di carta da parati avanzata da non si sa quali stanze di chissà quali case. Parecchi album di fotografie, specialmente quelli zeppi di volti molto cari a chi li ha confezionati ma a me sconosciuti. E almeno un paio di quelle stampe che una volta staccate dal loro muro di appartenenza nessuno mai osa, nei decenni, riappendere altrove, e dunque giacciono appoggiate una sull'altra in qualche sgabuzzino o garage, sommando alla patina del tempo quella della negligenza. Per esempio, il sedicente danzatore che in famiglia chiamavamo Pruzzo perché dalla posizione delle gambe non sembrava una étoile del balletto, ma un calciatore nell'atto di scoccare il tiro. Con il pallone fuori inquadratura.

Fa parte, Pruzzo, della schiera (non piccola) di oggetti la cui tracciabilità non è più recuperabile: quelli dei quali, nel succedersi delle generazioni, si è perduta la provenienza. Non si sa chi li ha comprati oppure ricevuti in dono, forse sono appartenuti a un avo, forse li ha acquistati pochi decenni prima qualche vivente che però nega di averlo fatto, o perché lo ha davvero dimenticato o perché se ne vergogna.

Ovviamente: prima di bruciare Pruzzo bisogna levare il vetro, destinato ad apposito cassonetto. Lascerei invece nel rogo la cornice, fatta di quelle listelle di truciolare plastificato che stanno al legno come una scoreggia sta alla tramontana. La copertura di plastica, bruciando, un poco puzza? Pazienza. Il rogo perfetto non esiste – così come non esiste la purezza. (È una delle tante cose che avrei da dire a Beppe Carradine, che non esiste la purezza, e chi va in giro a parlarne dovrebbe essere severamente dissuaso. "Beppe," gli direi, "pazienza per lo Spirito Santo, se proprio hai ricevuto l'incarico specifico di trattare l'argomento puoi metterti qui seduto e parlarmene mentre io, se non ti offendi, sto dietro alle mie cose. Ma non ti venga mai in mente di parlarmi di purezza, oppure ti butto fuori di casa. Intesi?")

Coperte e tovaglie bruciano benissimo se di tessuto non sintetico, altrimenti si producono fumi tossici. Può darsi che qualche veneficio scaturisca anche da ciò che resta dell'imbottitura di poltrone e divani. Il canapè di zia Vanda, per esempio, deve custodire in corpo, a parte le molle arrugginite, anche decrepite lane; la perfezione non esiste, né in generale né quanto a tutela dell'ambiente. E poi chi potrebbe mai accorgersi, quassù a Roccapane, che nel grande pennacchio di fumo bianco che si leva dal mio spiazzo c'è qualche striatura giallastra o nerastra? Dicono che tra qualche anno quasi ogni tipo di combustione a cielo aperto sarà proibita, tassata, in ogni modo malvista, perché perfino il fuoco di legna – il più naturale al mondo – produce polveri nocive e gas maligni.

Cose da nulla, naturalmente, rispetto alla vampa mefitica della guerra, che annerirà il cielo fino alla stratosfera: ma non si può pretendere che le autorità mettano nel conto catastrofi eccedenti i regolamenti comunali e provinciali. Per dare l'impressione di tenere sotto controllo la situazione, è normale che si occupino di legiferare sulle mie pire, e su di me col mio forcale. Meglio approfittarne, dunque, finché siamo in tempo. Beati noi che ancora viviamo in un'epoca che con-

sente di appiccare il fuoco al canapè di zia Vanda, e di incenerire la cornice di Pruzzo fidando poi che il vento, provvido
e potente, disperda anche le particole malsane.

Una volta ho bruciato il vecchio pneumatico di una carriola. Un po' per pigrizia, un po' per fare l'esperienza. L'ho
messo sopra una catasta di stoppie e altre potature. Ha fati-
cato a prendere fuoco, poi si è acceso come una torcia, tutto
intero, producendo un disgustoso fumo nero, catramoso. Se
ne capiva, in morte, la nascita chimica. Severino, che ha visto
tutto, il giorno dopo mi ha sgridato. Mi ha detto: "Se sei venuto quassù a fare le stesse cazzate che facciamo noi agricoli,
tanto valeva che te ne rimanevi dov'eri". Ho capito due cose:
che Severino è molto intelligente e che non avrei mai più
bruciato pneumatici e altre porcherie. Tranne la cornice di
Pruzzo, che è poca roba, e Severino neanche se ne accorge.

E comunque fin qui siamo solamente alla teoria. Fa ancora troppo caldo e i boschi sono ancora troppo secchi per ac-
cendere fuochi all'aperto. Arriverebbero subito quelli della
forestale a ribadire che d'estate non si accendono fuochi. La
multa poi la pagherebbe mia moglie, ma la cattiva figura sarebbe tutta mia.

18.

Riparlare con Beppe Carradine, prima o poi

Penso spesso a Beppe Carradine. Sicuramente più del dovuto. È come se lo avessi ancora di fronte, con la sua gola color del legno e i suoi chiari occhi inespressivi, e la discussione con lui fosse ancora in corso. Come se mi sentissi in obbligo di confutare le sue assurde formulette a proposito dello Spirito Santo, non così peggiori o più gravi o più inverosimili della montagna di fantasticherie e arzigogoli prodotti, nei secoli dei secoli, trascrivendo trascrivendo, dai Carradine di ogni ordine e grado.

Mi sembra di vederli tutti. Una sola grande corporazione professionale disseminata per il mondo, e distribuita popolo per popolo e secolo per secolo nella quantità necessaria a ricopiare tutta quella roba, sotto diretta dettatura di Dio. Quelli che sollevando lo sguardo dalla pagina vedono, oltre la loro finestrella claustrale, neve e betulle, e quelli che vedono sabbia e palme. Chi disturbato dall'urlo della scimmia chi dal bramito della renna, chi interrotto dalle tante mogli chi dal morso della castità, chi vestito da prete chi da dottore, ma tutti uguali, in fondo, nel loro diligente leggere, scrivere, ricopiare e mandare a memoria le infinite righe dei loro sacri testi, e relative chiose. Qualcuno – più coraggioso? più empio? – che aggiunge una parola alle tante già prodotte, oppure ne cancella un'altra. Un solo sterminato, inconsapevole esercito (inconsapevole, voglio dire, di essere una cosa sola) di scriba e predicatori, di sapienti e calligrafi, di stampatori e rilegatori che come le termiti, goccia di fango su goccia di fango, hanno edificato l'impressionante, troneggiante termitaio delle credenze religiose. Se invece di chiamarla pomposamente Parola di Dio volessero riconoscerne, per improvvisa illuminazione, l'umile natura di lavoro umano – perché hanno lavorato tantissimo, i Carradine, per tenere insieme i loro pazzeschi edifici di parole – li abbraccerei tutti. Ammesso che loro vogliano abbracciare me.

Quando faccio lavori manuali – segare legna, spostare sassi, spazzare foglie, strappare erbe infestanti – e gli automatismi del corpo lasciano libero il cervello di vagare per suo conto, come il cane finalmente sciolto, è soprattutto allora che ricomincio a pensare a Carradine, e per suo tramite ai Carradine al gran completo. Avverto una prossimità *fisica*, da lavoratore a lavoratore: io che accatasto ciocchi, loro che inanellano parole. La fatica e la pazienza ci affratellano, il prodotto finale è molto differente (sostanzioso il mio, evanescente il loro) ma la catasta della legna deve reggere così come deve reggere l'impaginazione delle fole religiose. C'è una cocciutaggine, c'è un metodo, c'è una disciplina in chi lavora, e solo chi lavora può riconoscerla negli altri. Beppe Carradine che vagola per le valli, bussando di casa in casa, giorno dopo giorno, ultimo anello della sua catena, fattorino della Parola di Dio, sa bene quanta pazienza ci vuole, per reggere tutti quei chilometri e quei campanelli, quelle attese di fronte a recinzioni ostili e cancelli chiusi, quel muto disprezzo.

Da come parlava si intendeva bene che il suo livello culturale è assai più basso del mio. Lui è l'ultimo tra gli ultimi, il pony che trasporta a domicilio parole che non ha neanche scritto, solamente letto, e chissà con quanta fatica. Non il vanitoso autore, appena lo zelante ripetitore. La frase più sbagliata che mi ha detto è quella di commiato – "Lei non ha nessuna umiltà" –, perché se non ne avessi, di umiltà, almeno qualche particola, nascosta nei meandri della mia anima rissosa, di Beppe Carradine avrei già ampiamente perduto memoria. Vorrei invece che fosse ancora qui, per fargli un altro caffè e dirgli meglio le cose che non ho saputo dirgli quando venne a suonare alla mia porta. Dunque gli sono grato di avermi offerto proprio lui un indizio, almeno un indizio, della mia possibile guarigione. Se lo penso, se mi ha colpito la sua intrusione, è solo perché lo sento, inspiegabilmente, fratello. Se c'è una persona che sarebbe capace di aiutarmi ad accatastare per bene la legna tagliata, sono sicuro che è lui.

La meno adatta: mia sorella Lucrezia.

19.
Nuove tracce dal passato,
come se non bastassero le altre

Ogni tanto Lucrezia mi manda vecchi file della mia vita precedente. Ci sono io che dico qualche scemenza in pubblico. Dibattiti in tivù, interventi in parlamento, dichiarazioni spiritose carpite spiritosamente per la strada da cronisti spiritosi. Attilio Campi on stage, più qualche micidiale scampolo di backstage, quelli dove ci si sofferma, santo cielo, sul lato umano, io che mi allaccio le scarpe in camerino proprio mentre la conduttrice viene a darmi il benvenuto, e piegato in due sollevo appena la testa, leggermente cianotico, con pancia e pappagorgia accentuate dalla postura ripiegata, e il *ciaaaaoooo* che mi sbuca dalle labbra suona fasullo come quasi tutto, in televisione. Il cerone riveste anche i suoni, in televisione.

Rintraccia quei reperti, Lucrezia, nella implacabile rete che tutto conserva tra le sue maglie fitte, neanche una smagliatura che lasci sfuggire qualcuno o qualcosa. Non c'è scampo, per noi uomini-sardina. L'intero banco, per quanto brulichi e si scompigli, per quanto si disperda e poi si ricompatti, ormai è catturato per sempre.

Immagino che l'intenzione di mia sorella sia amichevole e leggera: "Ma guarda qui com'era vestito, il povero Atti" – mi chiama Atti; povero Atti quando vuole accentuare la complicità –, "adesso gli mando questo file, così si diverte!". Credo che voglia testimoniarmi anche una punta di condivisione politica non richiesta, "senti un po', Atti, che cosa giusta hai detto, quella volta", e spesso si tratta delle mie sortite più goffe, quelle che a risentirle mi domando come diavolo abbia potuto dire così malamente quello che ho detto.

L'ho pregata mille volte di non farlo. Di non mandarmi niente, per piacere, che riguardi la mia trascorsa attività pubblica. Per piacere, Lucrezia, per piacere. Ridacchia, pensa che io stia facendo il prezioso, non la sfiora neppure l'idea che qualcuno, donna uomo o animale, possa *veramente* desiderare non rivedersi e non risentirsi mai più. Sta diventando impossibile prendere congedo da se stessi, di questi tempi. Impossibile dirsi addio. C'è sempre qualcuno che ti mostra una tua vecchia traccia, ti sbatte sotto il naso una cartaccia che avevi ficcato nel cestino, tanti anni prima. O i fazzoletti mocciolosi, ormai secchi come sassi, che ritrovi nelle intercapedini del divano, quella volta all'anno che le ispezioni. E sarebbe stato meglio non farlo.

Rivedermi e risentirmi mi dava un certo imbarazzo già all'epoca, quando mi toccava farlo per ragioni professionali, per capire dove sbagliavo e non farlo più. Solo una volta ogni tre – al massimo – mi sembrava ben detto quello che avevo detto, per esempio quando illustrai, nel talk show più autorevole del paese, il mio impeccabile progetto di legge sull'introduzione dell'uniforme obbligatoria nelle scuole di ogni ordine e grado. (Un giorno o l'altro dovrei illustrarvelo con calma, punto per punto. Dopo averlo letto vi chiedereste: ma com'è possibile che una legge del genere non solo non abbia trovato unanime consenso e immediata applicazione, ma non sia nemmeno stata discussa in parlamento, e per giunta abbia circonfuso di ridicolo il suo unico firmatario?)

La maggior parte delle volte, dopo avere parlato in pubblico mi disapprovavo, mi sembrava di essere stato supponente oppure impreparato. In alcuni casi, i più gravi, supponente e impreparato al tempo stesso, come quella volta che a un mio oppositore, bilioso ma agguerrito, continuavo a ripetere "lei non sa quello che dice!" senza mai entrare nel merito delle sue obiezioni; e più le sue obiezioni mi mettevano in difficoltà, più gli replicavo "lei non sa quello che dice!", storcendo la testa in segno di insofferenza, e distogliendo lo sguardo dal suo come per segnalare che lui non era degno di confrontarsi con me. Che invece fossi io, a non sapere cosa dire, lo si capiva perfettamente ogni volta che gli scaricavo addosso l'ennesimo "lei non sa quello che dice!".

Però se dovessi indicare la testimonianza peggiore di quel periodo, il momento nel quale considero, ripensandoci, di avere davvero perduto l'anima, di avere bestemmiato me stesso, non ho dubbi: è una sequenza muta. È il sorriso fisso con il quale affrontai la greve derisione che il comico di turno mi stava dedicando, nella sostanza dandomi dell'imbecille in diretta nazionale, tra le grasse risate del pubblico in studio. Usava, e credo usi ancora, che il politico ospite si sottoponga a quella gogna con viva cordialità, e manifesta complicità, così che la camera lo inquadri mentre dimostra schietto divertimento a ogni schizzo che lo infanga, a ogni sgambetto che lo atterra, a ogni sputo in faccia. Così che il povero Atti, invece di alzarsi, raggiungere il guitto, tirarlo giù dal suo inviolabile pulpito afferrandolo per il cravattino e mollare la presa solo quando quello, gemendo di terrore, gli fosse stato levato dalle mani dal personale di studio accorso in massa dopo l'iniziale sbigottimento, e il conduttore avesse strillato inutilmente di mandare in onda la pubblicità mentre il regista, per deformazione professionale, inquadrava tutto e tutto mandava in onda, e la gente a casa, la famosa gente a casa, era eccitatissima e già si divideva tra una maggioranza di disgustati (*Campi è un pazzo! Un intollerante! Un violento!*) e una minoranza di complici (*Be', per la legge dei grandi numeri era inevitabile che almeno uno, prima o poi, reagisse così!*); il povero Atti, dicevo, mostrò invece alla telecamera che ne scrutava il volto il più ipocrita, il più finto, il più rassegnato dei sorrisi, come tutti hanno fatto prima di lui e come tutti faranno dopo di lui.

E comunque, a parte questi specifici dolori, adesso che sono sceso da quel ring non è più neanche questione di recriminare sui singoli round, su questa o quella frase, sulla scelta della cravatta. Adesso, a rendere insopportabile nel suo complesso la vista del me stesso che mi ha preceduto, è l'ostinato riemergere di una persona che non sono più e non voglio mai più essere: il polemico, brillante uomo politico che voleva dimostrare a tutti di avere ragione. Magari avendocela, non dico di no. Anzi: avendocela sicuramente. Ma il punto non è più quello. Il punto è allentare la morsa di me su di me. Ritrovare respiro e libertà, come quando cammino sui crinali, come quando cerco nel bosco le sorbe da regalare alla Bulgara.

Uno che spacca la legna con Severino (e smette solo quando spuntano prima Sirio e poi Marte nel quasi buio vespertino, e la Bulgara ha già preparato una pentola di pasta e fagioli grande come uno scaldabagno) desidera non essere più disturbato. Tacere, sparire, mettersi nelle condizioni di non essere mai più frainteso. Se mi chiedete chi sono, cosa voglio, cosa faccio, sono uno che spacca la legna con Severino. Poi la accatasto in bella e giusta formazione, i ciocchi grossi con quelli grossi e quelli piccoli con quelli piccoli, e vedo crescere muraglie odorose che promettono difesa dall'inverno. Posso perfino guardare il telegiornale con Severino e la Bulgara, mentre mangio pasta e fagioli nella loro cucina affumicata, senza particolari patemi. E anzi, con il sollievo dello scampato che guarda il mare in tempesta essendo già al sicuro, con i piedi bene assestati sulla terra, le gambe sotto un tavolo, il bicchiere pieno di vino rosso. Io non sono più in onda. Non potete immaginare quale euforia mi prende, quando ripeto a me stesso: io non sono più in onda. Io non sarò mai più in onda. Butto un'occhiata alle mail un giorno alla settimana, in media. E vedo calare il loro numero con la gioia di chi vede le sbarre della sua galera assottigliarsi a vista d'occhio.

Dovessi rilasciare questa sera stessa una dichiarazione al tigì, qualunque fosse la domanda, se la Russia, l'economia, i diritti civili, il papa, il governo, questo direi: "Mi raccomando, cercate di assestare il colpo d'ascia proprio nel centro del ciocco. Quando è ben secco si divide in due in un baleno, già pronto per la stufa. Tra l'altro, amici telespettatori, care elettrici, cari elettori: divisi a metà, o quando occorre in quarti, i ciocchi non solo entrano bene nella stufa e bruciano con più facilità; ma formano cataste più compatte e meglio equilibrate".

Dunque, Lucrezia: è inutile che continui a mandarmi quelle tremende immagini della passata tempesta. Dopo il mio naufragio, sono già in salvo da un pezzo sulla mia isola, come Robinson, anzi molto meglio di Robinson: un Venerdì tra altri Venerdì, senza neppure l'ansia presuntuosa di dover civilizzare gli indigeni. La Bulgara – per dire – nella pasta e fagioli mette non solo l'alloro, che sono capaci tutti, ma anche una manciata di timo fresco. Non saprei fare di meglio.

Quei file non li voglio più aprire, mi hai sentito? Ma lo capisci quello che ti sto dicendo, Lucrezia?

Figuriamoci.

20.
Un altro passaggio di Maria,
probabilmente a fine agosto

Sdraiato sul letto, nella beatitudine improvvisa di uno spicchio d'ozio, guardo Maria salire mezza nuda la scala del soppalco dove tiene i vestiti. All'ondeggiare dei suoi passi oscilla, come la lanterna di una barca, il culo chiaro e rotondo. Una lunga maglietta di cotone bianco lo copre appena ma non lo cela, appoggia lieve sui glutei che muovendosi respingono il tessuto verso l'alto. Certe nuvole notturne fanno, con la luna piena, lo stesso gioco di svelamento.

Nonostante sia al valico dei cinquant'anni, il culo di Maria è miracolosamente intatto. Appena appesantito, con trascurabili smagliature, conserva, in cima alle lunghe gambe, la sua struttura svettante. Gli ovali dei glutei sono inclinati in maniera da accogliere in basso l'intera ampiezza del bacino e raccordarsi in alto alla stretta circonferenza della vita. È un culo aereo, antigravitazionale. Per me, dalla prima volta che l'ho visto, un vero e proprio astro, del quale mi sento ancora satellite malgrado i tanti anni di promiscuità.

Nel caso qualcuno volesse spiegarmi che una donna non è soltanto il suo culo, non ci crederete ma lo so già da me. E lo so specialmente a proposito di Maria, che di me è più forte e padrona del mondo, più solida nel lavoro – fa l'ingegnere e lo fa in grande, ponti e cose simili –, e per giunta da più di un anno mi mantiene, sovvertendo il tradizionale assetto di potere tra maschi e femmine. Gira sul mio conto milleduecento euro al mese, bastano e avanzano per le mie poche necessità, non compro un vestito da un sacco di tempo, ho tanti libri che non basterebbero tre vite per leggerli, spendo solo per il cibo, un po' di gasolio per le macchine agricole, qualche attrezzo, le bollette, il caffè al bar, poco altro. Certo, mi secca non avere indipendenza economica. In parte è colpa mia. Ho rinunciato alla pensione di parlamentare perché fosse chiaro anche a me stesso che con la politica ho chiuso i conti: tutti. Ripensandoci, forse ho sbagliato. Avrei dovuto tenermela quella pensione, come risarcimento del mio evidente credito nei confronti della società, una rivoluzionaria proposta di legge – quella sull'uniforme obbligatoria nelle scuole di ogni ordine e grado – ripagata dalla totale incomprensione dei miei compagni di partito.

In aggiunta al mio merito, avrei dovuto tenermi quei quattro soldi anche per un'altra ragione: che non avrei MAI saputo quanto fossero imbufalite le migliaia di linciatori che nelle loro chat avrebbero dato di matto per la rabbia e schiumato odio nei miei confronti. Non è forse la gioia perfetta? Una spaventosa tempesta è in corso, miasmi venefici eruttano da qualche spelonca, ti vogliono umiliato, piegato, morto, ma tu sei al riparo, intoccato, esentato per sempre. Per sempre! Non ne so più niente e non ne saprò mai più niente, di quella roba lì, le opinioni di Severino e della sua moglie bulgara, di Federico e delle sue capre, per me sono le sole che contano. Come rappresentante dell'opinione pubblica mondiale con il quale litigare mi tengo Beppe Carradine, la sua gola di legno e i suoi occhi chiari, e ignari. L'opinione di Maria, in questo momento, è un cimento che non mi sento di affrontare – mi farebbe troppo male scoprire che dietro i suoi "fai quello che ti senti di fare" c'è anche una punta di delusione. L'opinione di mia sorella Lucrezia invece vorrei tanto conoscerla, se non altro per la consolazione di sapere che perfino lei, così bella e così distante, ha necessità di averne una.

Ma sto divagando, sdraiato sul letto, in quel continuo andirivieni tra le mie piccole cose (ammesso che il culo di Maria sia una piccola cosa) e l'universo mondo che è diventato, qui a Roccapane, uno stato mentale frequente, forse per via delle tante ore di solitudine che permettono ai miei pensieri di allargarsi indisturbati, senza incappare nella voce degli altri che infrange il soliloquio.

Ora, ad esempio: guardare il culo di Maria mi fa ripensare improvvisamente alla guerra che incombe, come se il minuscolo pianeta sospeso sulla scala a pioli avesse a che fare con quello grande, là fuori dalla nostra finestra aperta sui boschi e i campi. Qual è il nesso? È il nesso molto stretto – lo conosce chiunque, forse perfino Beppe Carradine – tra l'aggressività maschile, dunque anche la mia, e il culo di Maria. Qualcuno pensa che sia quella, da sempre, la vera posta in palio: almeno dai tempi del rapimento di Elena. Valuto dunque, muto e meditabondo, quanti passi avanti abbia fatto nel mio barcollante cammino.

Nei primi anni il corpo di Maria mi rendeva smanioso e incline alla lotta. Maria è bella: non come Lucrezia, ma insomma. Del genere snello e bruno, taciturno, vagamente indio, occhi scuri, è quasi una campionessa. Sbaragliai almeno una mezza dozzina di rivali. Lo feci adoperando le arti dialettiche e seduttive che i maschi di homo sapiens hanno imparato, con qualche fatica, a utilizzare come succedaneo della bastonata e della coltellata. Ma non ero meno possessivo e combattivo di un babbuino o di un muflone. Nella prima fase, quella della conquista e poi del sesso furibondo, la gelosia era una ferita che sanguinava senza tregua.

Anche oggi che Maria passa in altre città e in altre stanze

la maggior parte del suo tempo avverto la sua lontananza come una rischiosa incognita. Intravvedo l'ombra di altri maschi, altri sorrisi che si intrecciano al suo. Soprattutto al mattino presto, quando nel candore della ceramica lo sciacquio dei rubinetti e il profumo del dentifricio annunciano il nuovo giorno, mi ferisce il pensiero che Maria possa dividere con altri un momento così intatto, così prezioso. Che vada a dormire con qualcuno mi sembrerebbe meno grave che con qualcuno si risvegli. Che quel qualcuno la veda scostare le tende, aprire la finestra, sgranchirsi il corpo e riaccendere i pensieri...

Ma non è più, la mia gelosia, ciò che fu. Non più un morso nella carne, lo stomaco che si chiude. Sono riuscito a trasformarla, nel tempo, in una rispettosa malinconia. Ho guadagnato giorno per giorno la coscienza, anzi la certezza, che la mia gelosia non è un problema di Maria. È un problema mio, e dunque è a me stesso che devo farne carico, non a lei. L'ho accettata come un'infermità con la quale imparare a convivere, fino a non accorgermene quasi più.

Mi ha fatto da guida, credo, l'amore per la mia libertà personale. L'ho talmente coltivata e difesa da dovere ammettere, infine, anche la libertà degli altri, e perfino quella di Maria, che di tutte le libertà è quella che più mette a repentaglio la mia vanità e la mia arroganza. Ecco l'unico campo – l'amore per Maria, forse l'amore e basta, insomma – nel quale, sì, mi sembra di essere diventato migliore. Questo me lo riconosco. Ci ho lavorato, e non è stato senza prezzo.

E mentre Maria ridiscende, sempre all'indietro, dalla scala a pioli, penso che averla protetta da me stesso, avere rispettato la sua libertà come la mia, forse è il vero merito che mia moglie mi riconosce, e per il quale è ancora qui, anche se a intermittenza. Proteggendola da me stesso – il maschio che conquista e pretende – ritengo di averla protetta, nel nostro piccolo, di Maria e mio, anche dalla guerra, quella che già disfa i corpi in giro per il mondo, piazza le bombe nei mercati, mitraglia le case e sbreccia i muri. E minaccia ogni giorno di diventare un'unica vampa sterminatrice.

Se non stessi parlando con me stesso, e per esempio fossi ancora in parlamento o in televisione, naturalmente al posto di "culo delle donne" avrei detto "libertà delle donne": ma la sostanza è quella, e poi in questo momento, di fronte a me, non c'è la libertà delle donne, c'è il culo di Maria. C'è la materia, c'è la potenza commovente delle cose vive. Niente di astratto, niente di invisibile.

Maria siede sul letto, mi dà le spalle, digita cose sue nel tablet che tiene sulle ginocchia. La luce del tramonto estivo indora la stanza. Ogni cosa è illuminata ma niente produce riflesso, niente abbaglia, niente brucia, niente ferisce lo sguardo, tutta la luce è assorbita dalle cose come se fosse finalmente elargita nella giusta dose, senza gli eccessi e gli sprechi del giorno rovente appena trascorso. Il caldo ha allentato la morsa, la pelle ha smesso di traspirare, i prati di boccheggiare. La porta della stanza è aperta, dalla cucina arriva profumo di timo e di salvia, aggiunti pochi minuti fa alla minestra d'orzo che si sta raffreddando sul tavolo di marmo della cucina. Sento tra gli alberi il trillo di una cincia, e nella stanza, immersa nel silenzio, solo il leggerissimo tocco delle dita di Maria sulla tastiera. I pensieri di guerra svaniscono, sgominati dalla pace di questa stanza, questa casa, questa ora. Un'ora perfetta, uno di quei momenti, rari e brevi, nei quali il tempo vissuto è perfetto. L'intensità di quei momenti riassume bene, a misura della mia piccola onesta comprensione, la spropositata idea dell'eterno.

21.

Un'altra pace con Mirabolani, prima o poi

Ettore Mirabolani prenderà la parola domani pomeriggio al Circolo del Compasso. L'ho saputo per caso, facendo scorrere in gran fretta titoloni e titolini in una delle mie rare incursioni nei notiziari online.

Sul mio video le notizie brulicano tutte assieme, producendo una specie di muto frastuono. Difficilissimo riuscire a fissare lo sguardo su una soltanto. Più per abitudine che per vero interesse, mi soffermo sulle cronache della città dove ho abitato per quasi tutta la vita e dove ora Maria probabilmente si sta svegliando, nel grande letto d'ottone dei nostri begli anni. Ha la valigia già pronta in ingresso, dietro la tenda gialla, e un taxi prenotato per l'aeroporto.

Tema del dibattito, al Circolo del Compasso, è "identità individuale e identità collettiva nell'epoca della globalizzazione". Qualunque cosa voglia dire, non si capisce che cosa c'entri Mirabolani, che non sa assolutamente nulla né dell'identità individuale, né di quella collettiva, né della globalizzazione. A rendere ancora più stupefacente la sua presenza è quella, al suo fianco, di oratori autorevoli come l'ambasciatore Fossati Bonardi, un vecchio trombone la cui identità non vacillerebbe nemmeno sotto invasione aliena, e la filosofa Callisti, una donna sensibile e severa che deve avere riso l'ultima volta in età prepubere. Si tratta comunque di interlocutori di buon calibro, autori di libroni e portatori di pensiero. Mirabolani, insomma, ce l'ha fatta. Nella minuta, vanitosa trama della scena pubblica, il suo nome appare con un certo rilievo. Se digiti "Mirabolani" sul web, è una sardina che resta attaccata alla tua lenza, estratta dall'oceano degli anonimi.

Essendo il Circolo del Compasso uno dei ritrovi culturali più importanti della città – vecchie signore democratiche che trepidano per giovani intellettuali ansiosi di far trepidare vecchie signore democratiche –, se ne deduce che Mirabolani sta facendo breccia non solamente tra le canaglie di bocca buona (il suo pubblico naturale) ma anche qualche gradino più in alto, lungo la scala del prestigio sociale. Questo potrebbe essere un impiccio per i miei piani, perché un conto è tendere la mano a un polemista d'accatto, destinato a incanutire senza vera fama; altro conto è farlo con un autorevole commentatore che ormai divide il pulpito con la Callisti e Fossati Bonardi. Nel primo caso la mia offerta di pace non sarebbe sospettabile di secondi fini, perché si tratta di un migliore (io) che accetta di chinarsi su un peggiore (lui). Nel secondo le cose si complicano e non di poco, perché potrebbe sembrare che una ex persona pubblica ormai in ombra (io) si rivolga a una persona sotto i riflettori (lui) per elemosinare qualche riverbero di visibilità.

Farmi dimenticare è stata una mia scelta. Ma questo lo so io, non Mirabolani, sicuramente convinto che io sia stato esautorato dalla mia tribù politica perché ritenuto un incapace, magari anche perché indebolito dalle sue critiche idiote. Insomma convinto – cose da pazzi – di essere lui il migliore, io il peggiore.

In ogni modo, se è l'atto in sé a contare – la remissione delle offese subite e inferte – non vale farsi influenzare dallo status della controparte. Può essere un re, può essere un mendicante, conta lo spirito con il quale gli tendi la mano. Ne sono convinto. Il difficile sarà convincere gli altri, rappresentati per l'occasione dal selezionato pubblico del Circolo del Compasso che costituisce, nel mio piano d'azione, un'accettabile via di mezzo tra l'assenza e l'esposizione pubblica. Che almeno sia io a scegliere la corda alla quale impiccarmi.

Mi rendo conto, con un certo fastidio, che rischio di sentirmi ancora legato a quel vecchio strumento di misura – l'opinione pubblica – che qui a Roccapane vale quanto un peto di capra, ma giù nel mondo, dove tutti vivono addosso a tutti, ci rende oppressi. E ci condiziona anche quando camminiamo per la strada. Incalcolabile quanto sia ingigantita, la sensazione di essere osservati, da quando hanno inventato la rete, la ragnatela a forma di mondo dove siamo rimasti impigliati a miliardi – il più grande banco di sardine mai visto – e possiamo far vedere come camminiamo, volendo, a tutti quanti, per adesso solo attraverso immaginette e filmetti, presto anche in ologramma. Guardate qui, coglioni! Ehi, dico a voi: guardate qui. Non lì. Qui, qui dove ci sono io. (Miliardi di "guardate qui" che si intrecciano, si sovrappongono, si sopraffanno l'un l'altro, fino a quando più niente è distinguibile, se non il banco turbinante. Sardine, ecco che cosa siamo. Infinitesime sardine, che se non fossimo tutte insieme nessuno si accorgerebbe della nostra insignificante sagometta.)

Il piano sarebbe salire in macchina, scendere in città, andare al Circolo del Compasso e alla fine del dibattito, quando si passa alle domande del pubblico, alzare la mano, svelarmi, rivolgere a Mirabolani parole di conciliazione che il contesto pubblico renderebbe inequivocabili e solenni. Certo, è anche la dimensione teatrale che mi attira: la piccola drammaturgia costituita da un uomo che si alza in piedi (mormorio del pubblico, *ma non è Campi, quello?... l'ex politico... quello con la*

fissazione delle uniformi, non ti ricordi?... ma dove era finito?)
e scusandosi per l'intrusione annuncia di essere lì perché non
vuole avere conti in sospeso con i suoi simili. Pronuncia poche e sentite parole il cui succo è che nessuna identità è possibile se non è libera da ogni rancore – o qualcosa di simile,
basta prendere due appunti e sistemarli un po'. Ho fatto l'uomo politico, dopotutto. Poi, sorridendo il tizio avanza verso
gli oratori e tende la mano a Ettore Mirabolani che lo guarda
ammutolito. Non se l'aspettava. È colpito. Non sa bene come
reagire. Ma a sciogliere l'intreccio lo aiutano le signore delle
prime file: dapprima stupite, poi emozionate, tentano un ti-
mido applauso, che a poco a poco si estende all'intero pubblico. Così che Mirabolani, alla fine, volente o nolente, sorride. Mi tende la mano. La pace è fatta. Ho vinto io! Cioè,
volevo dire: quel capitolo è chiuso per sempre.

Però potrebbe esserci, in sala, qualche giornalista. E peggio ancora, decine di quelli che digitano in diretta le loro im-
pressioni a vantaggio di piccole o grandi compagini in attesa
– ognuno di noi ormai è un potenziale cronista, concetto di
agghiacciante gravità che viene invece sottolineato, non si
capisce perché, come se fosse un grande passo in avanti per il
genere umano, considerando che già i cronisti di professione
fanno danni quanti ne basterebbero per un paio di secoli. E
dunque, ammesso che io abbia il pieno controllo della breve
messa in scena dentro la saletta del Circolo, il "qui e ora"
verrà poi dilatato in una imprevedibile serie di interpretazioni fraudolente o semplicemente inattendibili, fraintendimen-
ti, errori di battitura, equivoci, eccessi di enfasi, difetti di interpretazione. Riducendo a una poltiglia informe, di pronto
consumo e di immediata evanescenza, un paio d'anni di mie
sofferte riflessioni sul tema del perdono. Se poi penso ai tito-
li chiassosi che ne potrebbero derivare sui giornali, con com-
mentino sagace o spiritoso a fianco, mi viene da piangere.

No no, la pista della pace in pubblico non è perseguibile, è fuori controllo, non se ne fa niente. Sbagliato, anzi assurdo, solo averci pensato. Mi chiedo come abbia potuto lasciarmi tentare da una così incauta soluzione. Quello dell'umiltà è, per definizione, un cammino appartato. Privato. Intimo. La pace tra me e Mirabolani è una questione tra me e Mirabolani, punto e basta. Al Circolo del Compasso ci vada dunque la claque di Mirabolani, generici stronzi al seguito di uno stronzo emerito. Io, a quell'ora, sarò al bar tabacchi di Roccapane a guardare Severino che gioca a tressette. O con Federico a controllare che le capre siano tutte rientrate nel recinto.

22.
Arriva l'autunno e non ho ancora bruciato niente

Saranno almeno una ventina, ormai, i roghi che ho architettato. Realizzati: zero. Di alcuni ho persino fatto uno schizzo, tanto per avere un'idea sommaria degli ingombri, ma disegno abbastanza male e dunque le proporzioni sono falsate al punto che il canapè di zia Vanda risulta grande uguale a una chiavarina, o a uno degli scatoloni zeppi di scartoffie. Intanto il tempo passa, e il mio carico di scorie e fantasmi ancora non è intaccato.

È la stagione che mi sollecita a darmi una mossa. Siamo già alle porte di ottobre, nella mia percezione è questo il vero passaggio dall'anno vecchio al nuovo, come a scuola. Mi sento in vena di bilanci e mi sembra di avere sprecato l'estate, vinto dalla sua fissità ipnotica. Ma adesso non ci sono più le spire d'afa, a fare da alibi alla pigrizia. Le notti sono fredde, le mattinate fresche, la settimana in Sardegna con Maria (costa est, poca gente, minimo il rischio che qualcuno mi riconosca) ormai lontana, un ricordo d'acqua, di sabbia, sonno e vino bianco. Tutto pagato da lei, come si può intendere.

Soltanto i cavoli, nel grande orto di Severino, vivono la loro giovinezza fuori tempo, in vista del trionfo, in pieno gelo, delle grandi foglie cerose. Tutto il resto è prosciugato e stinto, sfinito dallo sforzo vegetativo. Le foglie si preparano mitemente a morire, niente è più nuovo allo sguardo, né gemme né fiori. Gli alberi, in vista del letargo, spendono le ultime energie in un lavoro tutto interno, per ispessire il legno e irrobustirsi. E io, che cosa ho combinato di utile e di nuovo?

È evidente, sto perdendo il mio tempo. Ogni bersaglio, ogni progetto, rimane sospeso sopra la mia testa come quei pentoloni di coccio che bisognerebbe rompere a bastonate – e dov'è andato a cacciarsi, il mio bastone? Sempre più improbabile la pace con Mirabolani (ho anche provato a scrivergli una lettera, proprio carta e penna, il più solenne dei supporti, ma è venuta così male che – lei sì – l'ho bruciata nella stufa), potrei se non altro impegnarmi sul fronte dello sgombero definitivo di almeno una cantina, almeno un ripostiglio. Da qualche parte si deve cominciare. Ovviamente non dalle quisquilie, troppo facile. Metti: bruciare i faldoni 2001/2/3 delle ricevute fiscali, oppure Pruzzo e un paio di altre stampe di serie C, o una coperta tarmata. Sono capaci tutti. Se sfida deve essere, se liberazione deve essere, bisogna iniziare da qualcosa di importante.

Per esempio, potrei partire dal carteggio tra mia madre e Sandro Losandro. Be', quella sì che sarebbe un'ouverture da lasciare senza fiato. L'importante è dirlo a Lucrezia solo a cose fatte. Non vedo peraltro quale utile consiglio, in un senso o nell'altro (bruciare, non bruciare), potrebbe offrirmi una persona che non ha mai dato il minimo segno di una partnership condivisa, nella gestione del cosiddetto patrimonio di famiglia. Nemmeno se ne ricorda, Lucrezia, di quello scatolone, ne sono sicuro.

Dunque, è deciso. Nei prossimi giorni appiccherò il primo fuoco di una lunga serie. Le chiavarine più il carteggio di mia madre con Sandro Losandro mi sembra un buon compromesso tra l'inutilità conclamata (le chiavarine) e il ricatto della memoria (il carteggio Losandro). Non ho la certezza che sia proprio *quello* il rogo giusto per partire, la mossa per uscire dal mio arrocco, ma non posso lasciar trascorrere altri mesi, forse altri anni, nell'attesa di chissà quale illuminazione. Così ha da essere: già sento crepitare le fiamme, e già mi sento una persona migliore.

23.

Nella pioggia di ottobre, un vecchio quadro

Oggi non è il giorno giusto per fare del fuoco. Non ancora. Piove, un vento pigro trascina le nuvole basse risalendo la valle, le accumula verso i crinali e le spalma sulle cime. L'autunno è arrivato per dare riposo allo sguardo, sfinito dall'interminabile luce estiva. Ficcare finalmente le pupille in tutto questo grigio è come immergerle in un linimento. E si può camminare con meno fatica, meno sudore, nel clima vaporoso che profuma di nebbia e di fango: bastano buone scarpe, una giacca pesante e stagna, un berretto impermeabile, un posto caldo e asciutto dove arrivare.

Voglio salire da Federico, e se non sarò troppo infangato proseguire fino al paese e mangiare qualcosa di caldo al bar, che è anche osteria che è anche bisca che è anche la vera sede comunale. Non ho voglia di cucinare, oggi. Nemmeno di leggere o mettere in ordine. Ho voglia di camminare (all'aperto! all'aperto!).

Federico abita in due stanzette al pianterreno di una grande vecchia casa, disabitata da anni perché la proprietà è divisa tra molti eredi, dispersi in varie città. Qualcuno torna, ogni tanto, solo per poche ore, quanto basta per controllare che il tetto sia ancora integro e la casa ancora in piedi. Ma soprattutto – vero e inconfessato scopo dell'ispezione –, che nessuno degli altri eredi abbia prelevato di straforo uno dei vecchi mobili, vecchi tappeti, vecchi quadri immersi nel buio, sospesi nel non tempo in cui l'assenza umana li ha ficcati. La casa è visitata, dunque, non per abitarla, nemmeno per dormirci anche una sola notte, ma per verificarne l'immobilità museale: ogni zuppiera, ogni tovaglia, ogni copriletto dev'essere nel posto esatto dove gli ultimi abitanti l'hanno lasciato, e ogni oggetto, anche il più trascurabile, deve rispondere all'appello degli eredi in lite.

Non paga affitto, Federico, in cambio della guardiania. Tiene le capre un poco più a valle, in una ex rimessa per trattori che ha trasformato in stalla, con tanto di macchina per mungere, scolatoi per i liquami e tutto quel che serve. Lo aiutano due fratelli pakistani che Federico ha soprannominato i Diurni, perché esistono solamente di giorno: di notte spariscono, nessuno sa dove dormono, dove abitano, se hanno una casa. Nessuno li ha mai visti in osteria, entrare o uscire da una porta che non sia quella di una stalla o di un fienile. Arrivano su una Simca verde (ex verde) che deve avere un milione di anni e non si capisce come possa funzionare, se non per qualche sortilegio benevolo, un'eccezione ai princìpi della meccanica, un'allusione povera e clandestina al miracolo del moto perpetuo. Nessuno sa, a proposito dei Diurni, qualcosa che esuli dal loro lavoro con le capre, più gli altri lavori che fanno qua attorno. Non parlano italiano e solo di rado parlano tra loro, a bassa voce. Prendono il denaro con le mani fissando le mani che glielo porgono, senza mai alzare lo sguardo al volto di chi li sta pagando, come se mantenere nella dimensione strettamente manuale anche quel gesto così irto di complicazioni (l'economia, il fisco, l'equità, le classi sociali, l'etica, le migrazioni, la politica e tutto il resto) fosse il solo modo per evitare ambiguità, conservare purezza.

A proposito di mani: Federico mi ha fatto notare che ce le hanno integre e quasi curate, i Diurni: condizione inspiegabile in chi impugna attrezzi, governa bestiame, spala letame. Questa ulteriore facoltà, oltre alla Simca semovente e alla smaterializzazione notturna, circonfonde i due di un'aura magica – forse angelica – che va a perfezionare la mia percezione semisacra di Federico: un giovane dallo sguardo acceso che, rapito da illuminazione, vive in solitudine in una villa abbandonata sui monti e governa le capre in simbiosi con Gonzo, cane sapiente, e due stranieri talmente stranieri che con il buio svaniscono. (Torneranno ogni notte in Pakistan, nel loro villaggio ugualmente caprino o in una megalopoli per uomini-formica?)

Federico è assistito da una corrente favorevole: i suoi formaggi, le sue ricotte e i suoi yogurt vanno a ruba, nei mercatini di paese come nelle gastronomie eleganti delle città vicine, nonostante il prezzo sia alto. C'è un ingrediente segreto: è il doppio carisma della cura artigiana e della filiera corta – in modo neanche troppo velato, quei prodotti contengono la vita di chi li ha fatti, aprono un varco nel muro dell'anonimato industriale che rende indistinti uomini e formaggi. Rimugino, risalendo il bosco e ormai quasi arrivato a casa di Federico, che c'è un quid di cannibalismo rituale nella esausta, smarrita signora di città che, scegliendo quel formaggio, presume di mangiare anche una particola del pastore o del casaro che l'hanno fatto, assumendone l'energia salvifica. È un processo eucaristico, quello che chiude la filiera corta di Federico dentro gli stomaci di sconosciuti clienti. Qui va a finire, penso imboccando il vialetto sterrato, che comincio a sragionare, come Beppe Carradine.

Federico è certamente in missione, ma non per conto di Dio, come il povero Beppe. Per conto degli uomini, delle capre, dei formaggi e della loro salvezza quaggiù in Terra. Quando la guerra avrà consumato il suo ciclo di distruzione, e i superstiti cercheranno un bandolo da afferrare per ritrovare una direzione, saranno quelli come Federico a mostrarglielo. Seduto con il suo smartphone su una catasta di formaggi puzzolenti – dunque con il culo in solido contatto con proteine e grassi e lo sguardo che perlustra il cielo –, metterà in relazione tutti gli altri federichi del pianeta, i benfacenti, i custodi dei mestieri e delle competenze, e tutto ricomincerà da capo, meglio di prima si spera. Naturalmente bisognerà che l'ingegnere Maria, nel frattempo, abbia riparato almeno qualche diga, rese pervie le strade, rinforzato i pilastri delle pale eoliche, perché lo smartphone di Federico ha bisogno di energia.

Quanto ai manidimerda come me, in attesa di poter rilanciare la mia legge sulle uniformi nelle scuole di ogni ordine e grado – però questa volta a livello mondiale –, più numerose altre leggi benefiche e urgenti, forse potrei cucinare qualcosa.

Arrivo, cerco Federico con lo sguardo dentro la finestra illuminata del suo appartamentino e lo vedo, invece, seduto sui gradoni all'ingresso della villa, al riparo della balconata del primo piano. Stranamente non sta digitando, sembra pensieroso, il suo odore di capra mi accoglie già a un paio di metri. Senza dirmi niente indica il portone alle sue spalle, quello principale: è aperto, cosa molto insolita. Per le sue ronde di controllo nelle grandi stanze buie e silenziose, Federico passa sempre dall'interno. Quel portone pareva chiuso da decenni, con i cardini serrati dalla ruggine e i nidi di ragno tra gli stipiti. Invece oggi la casa, che sono abituato a vedere muta e dormiente, ha la bocca spalancata.

"Sono venuti a portare via della roba," dice il mio amico con la sua voce acuta, infantile. Gli domando chi. "Uno dei tanti. Forse alla fine si sono messi d'accordo, 'sti imbecilli."

Vedo, dietro i due imponenti cedri che tentano di promuovere a parco lo scalcagnato giardino, un furgone con il portellone aperto e un paio di mobili già piazzati dentro, impacchettati in vecchie coperte. Dalla casa arrivano voci, le voci si avvicinano, si distingue una lingua ignota, probabilmente rumeno, ecco due operai, uno giovane e uno anziano, che scambiandosi qualche amichevole improperio trasportano un enorme quadro. Lo appoggiano nell'ingresso – prima di caricarlo sul furgone dovranno imballarlo – e tornano al piano di sopra per prendere altro. Federico si alza, mi fa cenno di entrare, ci avviciniamo al quadro.

Le luci dell'atrio sono fioche, le lampadine agonizzanti delle applique sono schermate dalla cartapecora. Il quadro, polveroso, è poco visibile. Dentro la cornice dorata, scortecciata in più punti, è dipinta una scena oscura, che si intuisce appena. Uomini in gruppo, sotto una specie di tempietto, seduti e in piedi. La pittura è screpolata, le vesti scurite dal tempo, ma un certo sbracciarsi, un certo movimento dei drappeggi, fanno capire che il gruppo è agitato, colto in uno di quei momenti enfatici (una rivelazione, una maledizione, un qualche accidente divino) tipici dell'arte sacra.

Federico accosta lo smartphone alla tela, vuole illustrarmela meglio. La luce fredda della torcia passa su volti pallidi, occhi rivolti al cielo, mani torte dallo spasimo prodotto da qualche gran travaglio emotivo. Il quadro mi pare pomposo e mediocre, dev'essere una crosta ottocentesca rifatta alla maniera di qualche maestro secentesco, non è che me ne intenda molto; ma è un'imprevista emozione vederlo così da vicino, quasi entrarci dentro, con la luce che percorre corpi e facce, come in una spelonca illuminata sasso dopo sasso dalla lampada dello speleologo.

La luce adesso inquadra, sopra il capo canuto di uno dei tizi, una guizzante figuretta arancione. È una fiamma. Sospesa sopra di lui. Federico cerca in sequenza anche le teste degli altri, una dozzina e tutti maschi (gli apostoli, forse), e sopra ciascuna è dipinta la stessa fiamma.

"Guarda qui," dice. "È la lingua di fuoco."

Sta sorridendo. La luce della piccola torcia elettronica, arrivando di rimbalzo, rende il suo sorriso vacillante, illeggibile, non saprei dire se sarcastico oppure partecipe della scena. Non capisco se Federico abbia dato vita a quello spettacolino per sorriderne insieme a me o perché si sente complice di quella raffigurazione. Le nostre due facce sono molto vicine a quelle dipinte, più o meno alla stessa altezza e della stessa dimensione, per un po' sostiamo in gruppo, i vivi e i morti, gli apostoli e gli apostati, attorno alla luce fredda dello smartphone, e questa promiscuità mi fa sentire, senza averlo previsto, partecipe del quadro. Segue la voce del ragazzo pastore, che al chiuso suona ancora più cristallina: "Lo sai, no? La lingua di fuoco sarebbe lo Spirito Santo quando scende dal cielo per illuminare qualcuno. Questi somari qui, per esempio: prima non capivano niente, erano spenti, ora la lingua di fuoco li ha accesi".

I due traslocatori ci distraggono dalla nostra ispezione ravvicinata. Ci chiedono di spostarci: devono coprire il quadro con un paio di coperte e un telo di cellofan, e poi caricarlo sul furgone. Torniamo a sederci sulla scalinata, verso il margine per non intralciare il passaggio. Dico a Federico che il quadro non mi sembra granché, ma il fuoco mi affascina e mi attira in qualunque forma si manifesti. Avrei voglia di raccontargli dei miei progetti di falò (anche perché non ne ho mai parlato con nessuno, se non molto evasivamente con Maria), ma mi blocca il sospetto che tra la piromania e la Pentecoste, anche se sempre di fuoco si tratta, il nesso non sia così diretto; per giunta, ho la sensazione che Federico nutra nei miei confronti molto rispetto, forse una punta di ammirazione, e poiché la sola opinione che tengo in conto è quella dei miei amici di Roccapane, non vorrei rovinarmi la reputazione spiegando a Federico che sono ossessionato dal canapè di una vecchia zia, pezzo di eccellenza di un ricco e vario catalogo di cianfrusaglie di famiglia.

Men che meno mi sento di raccontargli che qualche mese fa, a proposito di Spirito Santo, ho quasi litigato con un predicatore porta a porta; e, quel che è peggio, che la vista della lingua di fuoco ha riacceso la mia voglia di discutere con lui. Alla luce di uno smartphone e delle fiammelle dipinte su una vecchia tela, vorrei chiedere a Beppe Carradine perché invece di dirmi, sullo Spirito Santo, le inutili baggianate sulle quali chiese e chiesuole si sono scannate per secoli, non mi ha comunicato l'essenziale notizia appena uscita di bocca a Federico: e cioè che gli uomini, fino a che una fiamma non li illumina, sono solo una massa di somari, compresi gli apostoli malgrado i loro drappeggi pretenziosi e il loro inutile tempietto. Ognuno di noi potrebbe accendersi e invece normalmente è spento: questo è il punto, caro il mio Beppe Carradine, che tu e i tuoi opuscoletti da due soldi non siete capaci di indicare, a dimostrazione del fatto che la lingua di fuoco è molto lontana dalle vostre teste vuote. Perché parlate proprio dello Spirito Santo, allora, se dopo quattro parole già si intende che voi, con la lingua di fuoco, non c'entrate nulla? Le vostre petulanti dispute sulla ripartizione trinitaria fanno pensare a una lite tra geometri – non all'illuminazione.

Naturalmente, a Federico non dico niente di tutto questo. Restiamo in silenzio, seduti fianco a fianco, mentre nell'acquerugiola che continua a scendere dal cielo i due rumeni ci passano davanti trasportando una credenza.

Salendo a piedi verso il bar, poco più tardi, valuto l'insolita circostanza di essermi dovuto occupare per un paio di volte, a pochi mesi di distanza, dello Spirito Santo, senza avere mai avuto in proposito, in tutta la mia vita precedente, alcuna idea né alcun interesse. Incontro lungo il sentiero i Diurni, che mi salutano con un cenno del capo. Io salgo loro scendono, Federico li aspetta per governare le capre.

Entro nel bar di Roccapane accolto dal profumo di carne bollita e dalle imprecazioni dei giocatori di tressette.

24.
Pochi giorni dopo, finalmente il fuoco

E infine: la pira è pronta. La mia prima, vera pira. Dopo mesi di indugi, dubbi, rimorsi a priori. A differenza della pace con Ettore Mirabolani, irta di complicazioni di ordine mediatico e sociale (con pubblico o senza pubblico, orale o scritta, spettacolare o intima eccetera), questo teatrino solitario è sotto il mio esclusivo controllo. Ne sono l'ideatore e l'artefice, ne sarò l'unico spettatore. Se Severino vedrà salire il fumo, penserà al solito fuoco di ramaglie.

Maria è lontana. Ma sono sicuro che mi direbbe "fai come ti senti". Poi si rimetterebbe a leggere il suo libro, senza chiedersi se la sua risposta mi arrivi come un segno di rispetto oppure di indifferenza. Maria non è una psicologa, è un ingegnere. Teoricamente dovrei parlarne a Lucrezia, dopotutto è anche roba sua, quella che sto per tradurre in cenere. Ma se la avvertissi sarebbe solo per correttezza formale, non essendo pensabile, da parte sua, alcun ruolo sostanziale in una vicenda della quale non si è mai occupata – troppo impegnata, la grandissima fica, a vivere. Beata lei.

E poi: ammesso che mia sorella, rispondendo finalmente al cellulare da qualche ristorantino costosissimo a Saint-Germain o a Chelsea o sul Lago di Ginevra, con un gambero crudo infilzato sulla forchetta e il marito franco-libanese (sempre che sia ancora lui il nababbo di turno) che la guarda adorante, mi dicesse "pensaci meglio, Atti, potresti pentirtene", rivelando a tradimento, e fuori tempo massimo, un'attitudine alla riflessione; be', non è un lusso che potrei permettermi, il ripensamento, dopo questo lungo travaglio. Altri mesi, magari anni, con quell'ingombro materiale che mi fronteggia, quella trincea di masserizie (non mie! non mie!) che ostacola il mio cammino verso l'essenziale, verso il poco che davvero mi serve? E l'altro ingombro, ancora più micidiale, quello mentale, quello dell'attesa, quello di ciò che non avviene mai, e se non avviene è perché non sono capace di farlo avvenire? Chi può scioglierlo, chi *deve* scioglierlo, quel nodo greve, se non io?

Le stagioni si sono date il cambio in consolidata sequenza, come i soldati di una guarnigione, la primavera vivida (ma Beppe Carradine non vide le mie rose), l'estate assetata, l'autunno conciliante... ora è alle porte l'inverno saggio e ingannevole, che simula la fine e architetta l'inizio. Io invece fermo, sempre uguale a me stesso, incapace di affidarmi fino in fondo al moto sapiente della natura, come fanno così bene Severino e la Bulgara, Federico e i Diurni e le capre. E il cane Gonzo. Loro, di questa giostra maestosa, sono gli attori residenti, e io pur sempre un avventizio, anche se levo sassi dai campi e taglio legna come nessun manidimerda di città. Mi ero illuso di essere uscito davvero indenne dal mio passato, guarito dalla mia arroganza e dalla mia sconfitta, e invece ancora mi sorprendo a rimuginare, a recriminare, sotto sotto ancora convinto che una scemenza in meno in un talk show, un bel discorso in più in parlamento, mi avrebbero tenuto in arcione e condotto alla gloria, laggiù nella famosa Polis. Attilio Campi che sale a palazzo tra due ali di folla, "è lui! è lui! è quello della legge sull'uniforme obbligatoria nelle scuole di ogni ordine e grado! Il salvatore della gioventù! Il benemerito della Patria!".

Ma insomma, ma dunque, ma allora: vogliamo o non vogliamo mettere un punto e a capo, nella mia storia sospesa?

Eccolo, il punto e a capo: una sontuosa catasta di otto chiavarine osteoporotiche che regge e custodisce, insieme a qualche vecchia stampa arrotolata e a carte burocratiche di quasi dolorosa insulsaggine, una scatola di cartone fiorato, chiusa da un fiocco nato rosso acceso, poi spento dal tempo. Dentro la scatola, il misterioso carteggio di mia madre con Sandro Losandro, il cui valore letterario o sentimentale o scientifico sfugge da sempre, e sfuggirà per sempre, a chiunque non sia uno dei due corrispondenti. Gli epistolari, peraltro, ditemi se non sono noiosi: dei cento conservati in polverosi archivi, o addirittura pubblicati, al massimo un paio contengono notizie interessanti sull'andamento del mondo. Il resto è un cicaleccio senza fascino, una matassa di banalità dentro la quale, se ne avete il tempo e la voglia, potreste forse rinvenire qualche pagliuzza d'oro caduta dalla penna di uno scrittore o di un filosofo o di un capo di governo tra una disputa condominiale e un "salutami i tuoi cari". Leggere una tonnellata di parole per rintracciare una frase interessante. Ne vale la pena?

Non uso benzina. Due cubetti di diavolina e un po' di ramaglia secca bastano e avanzano per l'innesco. Ho l'accendino in una mano; il forcale nell'altra, pronto a intervenire per dare forma e disciplina al rogo. Cerco nella mia testa, mentre avvicino la fiammella alla pira, l'immagine di mia madre, non per scusarmi, sia ben chiaro, ma per l'incontestabile unità di tempo che la lega a questo momento – tutto si distrugge perché tutto ritorni, ci sarà pure una stagionalità, dunque una circolarità, anche per noi snaturati umani, no? Occuparmi di dare finalmente la pace eterna alle sue lettere significa riaverla qui con me, proprio adesso, con la sigaretta in mano, mentre chiacchiera e ride con mia sorella e con mio padre. Avessi voluto mai più ripensarla, mai più rivederla, mai più sentire la sua voce, avrei senz'altro dimenticato questa fottuta scatola in fondo a una soffitta, lasciandola marcire come tutto ciò che è immobile. Oppure l'avrei regalata a qualche archivio per maniaci, millantando un contenuto di elevato valore storico-scientifico sulle incisioni rupestri nel Mercantour – si fottano anche i pastori trogloditi e le loro *gravures*: o devo sorbirmi, cinquemila anni dopo, anche la loro memoria? O forse avrei dovuto supplicare un rigattiere, allungandogli una banconota (di Maria) perché caricasse quel cubo di cartone, insieme a molto altro, sul suo camioncino scalcagnato, indegno carro funebre perfino per l'ultima delle cianfrusaglie: non sono esattamente queste, le maniere consuete per dimenticare una persona?

Ma no, non l'ho dimenticata se sono qui che avvicino la fiamma alla diavolina, e nel breve tempo che occorre perché il fuoco divampi mi ritrovo con lei sul lungomare di Ospedaletti, quel giorno che vedemmo zia Vanda in compagnia di una vecchia amica dall'altra parte della strada, e mia madre mi trascinò dentro un bar perché non ci vedessero, "quelle noiose", e ancora porto impressa la sua espressione di complicità e di scampato pericolo, gli occhi verdi sgranati con il rimmel sempre un po' sbavato, le guance gonfie in un leggero sbuffo divertito. (Forse perché è morto da più tempo, forse perché la prossimità fisica non era altrettanto frequente, la faccia di mio padre si ricompone più approssimativamente; i dettagli disponibili sono molti di meno.)

Subito il fuoco prende vigore, vedo le fiamme salire. Basta poco perché le chiavarine inizino a crepitare. Anche se fingo interesse per l'insieme, lo sguardo è fisso sulla scatola fiorata. È appoggiata di sghembo più o meno al centro della catasta. Vedo annerirsi prima un angolo, poi un intero lato che infine si infuoca, si accartoccia, si squarcia e mostra il contenuto, strati su strati di vecchia carta. Vorrei avvicinarmi quel tanto che basta a distinguere qualche traccia di grafia, i segni umani che si susseguono, le non sacre scritture che ognuno di noi lascia, come una bava di lumaca. E come la bava sull'erba, o su un sasso, o su una staccionata, a volte rilucono. Ma il calore è troppo forte e mi costringe a un passo indietro.

La catasta d'improvviso collassa, le chiavarine divorate dalle fiamme non reggono neppure il proprio modesto peso, la scatola precipita in mezzo alle braci spargendo attorno fogli su fogli. Separati, dopo anni, l'uno dall'altro, offrono l'intera superficie all'aria e prendono subito fuoco. Ben presto il carteggio tra mia madre e Sandro Losandro è soltanto cenere.

Come mi sento? Come mi sento? Il solo fatto di chiedermelo non mi rende troppo ottimista sulla risposta. Comunque sia, è troppo tardi per tornare indietro. Le foglie morte, qui attorno, mi dicono che il passaggio del tempo non è uno spettacolo del quale si può essere semplici spettatori.

Sposto con il forcale gli ultimi tizzoni, ci assesto sopra qualche moncone di sedia ancora incombusto, così che proprio tutto bruci.

Scendo da Severino per vedere se la Bulgara mi invita a pranzo.

25.

Al mattino, l'odore della cenere

Al primo risveglio, la mattina dopo, avverto dentro il letto tiepido, e tra le tempie tramortite, le tracce del giorno prima. Le costine di maiale della Bulgara e il vino rosso – troppo – marcano ancora il territorio. Dal guanciale traspira odore di cenere, dev'essermi rimasto nei capelli, ieri. Rivedo le fiamme, mi sembra di risentirne il crepitio. Ma non appena sintonizzo meglio l'udito capisco che quel rumore ticchettante viene invece da fuori, è pioggia, pioggia forte che batte agli scuri e sul davanzale. La confusione tra voce del fuoco e voce dell'acqua mi procura un sottile, piacevole disorientamento. Il piccolo Attilio in balìa degli elementi. In bilico tra fiamme e nuvole. Richiudo gli occhi per un attimo.

Avevo promesso a Severino e alla Bulgara, salutandoli dopo cena, che oggi avrei dato una ripulita al nostro campo di zafferano prima di affidarlo al lungo riposo invernale. Il raccolto lo abbiamo fatto due settimane fa, la polvere giallorossa è al sicuro in decine di vasetti di vetro. Erbe tardive, robuste come lanzichenecchi, vanno sfrattate prima che radichino in profondità. Zappa e rastrello, un lavoro di fino per non scoprire i bulbi. Quando arriverà la sarchiatrice meccanica, impiegherò molto meno tempo. Mi alzo, cerco il telefono per chiedere a Severino se la pioggia ha già inzuppato il campo oppure ho ancora un paio d'ore buone per lavorare. Fuori dal letto lo sbalzo di temperatura è brusco, dagli scuri filtra una luce insicura; si avverte anche dentro casa, con un brivido di piacere, la sferza ormai stabile del freddo. Accenderò la stufa a legna. Non trovo il telefono. Devo averlo dimenticato da Severino.

Lavo la faccia con due manate d'acqua, infilo un maglione, le solite braghe (ormai sembrano quelle di Federico, mancano solo le marezzature di letame, dovrò decidermi a metterle in lavatrice), giaccone e cappello, scarpe da fango, e scendo a piedi. Da quante settimane non uso più la macchina? La mia trasformazione in pedone ha la forza degli avvenimenti spontanei, non l'ho pensata, è accaduta. Belle le cose che accadono senza che nessuno decida di farle accadere, senza che il pensiero intervenga a discettare, analizzare, complicare. Lungo il solito stradello, breve e in discesa, costeggio il campo di zafferano e lo vedo già fradicio, impraticabile. Le erbe lanzichenecche, brillanti di pioggia, affrontano indifferenti il mio sguardo – faremo i conti tra pochi giorni.

Ecco la Bulgara che traffica davanti alla cascina, sotto il porticato.

"Il tuo telefono!" mi strilla da lontano. Lo leva da una tasca e lo agita, come un trofeo, nell'aria frizzante del mattino. Mano a mano che mi avvicino mi sembra che la sua faccia rotonda, in genere inespressiva (per timidezza, credo), stamattina sia sorridente. Lo è. E il sorriso diventa confidente quando mi porge il telefono: "Smemorato è innamorato!".

Dev'essere un proverbio bulgaro. La traduzione è efficace, c'è addirittura la rima. La Bulgara parla poco, ma ogni volta l'applicazione e la serietà con le quali adopera una lingua non sua mi conquistano. È qui da pochi anni, Severino l'ha conosciuta in qualche chat, non saprei dire quanto amichevole e quanto oscena. L'accento slavo storce qualche vocale e scivola sulle doppie, ma la frase è sempre costruita con una certa cura, così che i frequenti errori non ne compromettono mai la funzione.

Ricambio il sorriso: "Magari, fossi innamorato. Smemorato e basta".

"Severino è in paese. Io mette a posto. Qui è tanto disordine."

"Brava, fai bene. Anch'io, a casa mia, sto cercando di mettere a posto. Ma è difficile. Non so mai da che parte cominciare."

"Non devi preoccupare. Quale parte cominci, è sempre quella sbaliata!" Il sorriso diventa una mezza risata. Si capisce che l'argomento le piace. Prosegue: "Severino fa sempre casino, io quando lui è via, allora mette ordine. Ma poi lui dice non trova più niente".

L'improvviso affaccio sulla loro vita di coppia mi invita a ricambiare: "Ti capisco. Approfittando che Maria non c'è, ho cominciato a bruciare un po' di roba. Non è possibile tenere tutto. Se teniamo tutto moriamo soffocati. Sepolti vivi".

Non risponde. Mi guarda muta, riflessiva. Poi dice: "Ieri hai bruciato? Abbiamo visto fumo. Che cosa hai bruciato?".

La domanda mi colpisce, quasi mi turba, è diretta e indiscreta. Ma l'interlocutrice, per la frequentazione quasi quotidiana, ormai incarna familiarità. E poi Maria non c'è, Lucrezia men che meno, con chi dovrei parlare? Dunque rispondo.

"Ho bruciato un po' di vecchie sedie. Vecchi documenti. E vecchie lettere."

"Tue letere?"

"No. Erano lettere di mia madre."

La Bulgara muta espressione. Spalanca gli occhi. Mi fissa. "Letere segrete? Letere di amore?"

"Non lo so, non le ho mai lette. Mia madre non sarebbe stata contenta, non voleva che nessuno le leggesse, e dunque non le ho lette. Che senso aveva tenerle, se nessuno le leggeva?"

"Neanche tua sorela?"

"Lucrezia? Figuriamoci."

"Tua molie?"

"È sempre in giro. Ha un sacco da fare. Secondo te ha il tempo di leggere le vecchie lettere di mia madre?" (Mentre lo dico, il mio cervello emette un piccolo impulso inedito: già, perché non ci ho mai pensato, di fare leggere a Maria quelle dannate lettere? Magari era la soluzione giusta, la delega salvifica, rimettermi al suo parere per evitare di averne uno io...)

La Bulgara tace, colpita dalla gravità dei fatti. Un figlio che brucia le lettere mai lette della madre. Temo che il suo silenzio esprima disapprovazione.

Finché sospira: "Vuoi caffè?".

"No grazie, devo scappare. Devo sentire Severino per il campo di zafferano. Che dici, oggi ci posso lavorare?"

Non risponde, è nuovamente pensierosa. Estrae una Camel sfusa dalla tasca e se la accende. Guarda per terra, seria, assorta. La faccia tonda non è più mia corrispondente. È altrove. Poi mi congeda, abbastanza brusca. "Scusa, devo rientrare. Quando Severino viene, lui ti chiama."

Saluto, giro le spalle e mi allontano, come fece Beppe Carradine quando gli fu chiaro che a me, del suo catechismo, importava meno di zero. Fui il congedante, ora sono il congedato. Calibro i primi passi sapendomi osservato dalla Bulgara, chissà se anche Beppe, quando prese la sua triste borsa nera e tornò verso la macchina, si sentiva osservato.

Adesso piove forte. Incontro Severino che rientra, abbassa il finestrino della sua Opel familiare. "Oggi non si lavora," mi dice.

"Ma il campo di zafferano bisogna pulirlo prima della neve," gli dico.

"Troveremo il tempo. Vai a casa, dai, che piove. Lavorerai quando è più asciutto."

Mentre risalgo a passi lunghi lo stradello, penso che Severino mi parla come se fosse il mio capo. Più precisamente: è davvero il mio capo. Il campo di zafferano è suo. Tempi e modi delle cose che si fanno qui attorno sono i suoi, non prenderei mai un'iniziativa agricola che non lo trovasse d'accordo. Questo pensiero mi conforta. Non è dato sapere con certezza se bruciare le lettere sia un passo avanti o indietro, lungo la via dell'umiltà. Sono sicuro che la Bulgara, per esempio, lo considera un grave passo indietro. Avere un capo, invece, e confidare nella sua autorevolezza, dà qualche punto in più in graduatoria.

Passo davanti ai resti del falò di ieri. La cenere, pestata dalla pioggia, ormai è una fanghiglia scura. Forse avrei fatto meglio a bruciare il canapè di zia Vanda. Ma il grande vantaggio di cui godo, adesso, è l'irreparabilità dell'accaduto. Tornare indietro è impossibile, recriminare inutile. Bisogna inchinarsi al tempo che passa. Passiamo insieme a lui, e prima ce ne facciamo una ragione, meno doloroso sarà quando qualcuno, tra una manciata d'anni, brucerà con pieno diritto le nostre vecchie cose.

26.

Novembre, si pulisce il campo

Bastano due o tre giorni di sole, il sole novembrino modesto ma efficiente, e si può entrare nel campo di zafferano. La terra è asciutta in superficie e bagnata appena sotto – sono le condizioni ideali per l'estirpo delle infestanti, basta tirare appena, le radici fanno poca presa. È una soddisfazione quando la pianta intera, senza fatica tua e sua, sguscia dal suolo e si arrende all'ordine agricolo. La senape selvatica, ancora sfacciatamente vitale alle porte dell'inverno, guida l'esercito occupante. Niente armi chimiche, in questa guerra difensiva, i lavori grossi si fanno con la meccanica, i lavori più delicati con le mani. Una delle prime cose che Severino mi mostrò, quando comprai la mia casa e cominciammo a frequentarci, è un foglietto con l'analisi delle acque del suo pozzo: zero tracce chimiche, solo un po' di colibatteri. "Appena qualche particella di merda, ma la merda è sana. I colibatteri, nei casi più gravi, ammazzano la gente. La chimica invece può ammazzare la Terra."

In ogni modo sono appena sette pertiche, in una giornata si possono mondare per bene; se poi, come stamattina, arriva anche la Bulgara, i tempi si dimezzano. Qui comandiamo noi, cara la mia senape selvatica: basso e gentile, lo zafferano avrà bisogno, in primavera, d'aria e di sole.

Lavoriamo in silenzio. Chino sul campo, con i polmoni pieni del fresco del mattino, e l'abilità delle mani come solo scopo, mi rendo conto che è da parecchio tempo – settimane? – che dimentico di festeggiare la mia libertà. Esposto al cielo e alla luce, sano di corpo e padrone del movimento, introvabile evaso, tutore dello zafferano, penso che sia un'omissione grave non festeggiare. L'architettura dei roghi, per quanto impegnativa, non deve distrarmi al punto di fare ombra a questa luce, quest'aria viva, e io nel mezzo, in piedi, che respiro forte. Quanto alla coscienza, tutto sommato intermittente, di non avere ancora trovato la maniera giusta per regolare i miei conti con Ettore Mirabolani, sto cominciando a pensare che sia un problema secondario. Non più un'ossessione; appena un banale strascico della mia passata sindrome, quella dell'uomo pubblico che non sopporta di essere contraddetto – per giunta da uno stronzo. L'idea che il proprio nemico numero uno sia così scadente può ferire l'orgoglio. Ma può anche essere rivoltata in senso utile: approfittiamo del fatto che è uno stronzo e smettiamo di dargli tutta questa importanza.

Le erbe estirpate cominciano a formare piccoli mucchi. La Bulgara lavora forte, ma io, così a occhio, anche di più. Proseguo nella rassegna dei miei pensieri. Mi sembra declinante, quasi rarefatto, anche il presagio della guerra, che fino a non molto tempo fa era un sentimento quasi quotidiano. Non perché abbia cambiato idea sul suo tremendo incombere: mi bastano poche frattaglie di telegiornale, o una scorsa alle notizie online – vedere tutti quei Popoli con Bandiera che fermentano e ribollono, e i loro disgustosi capi che li aizzano, e immaginare le migliaia di tonnellate di lamiera che si compongono in cannoni, sommergibili, carrarmati, aerei da caccia –, per avere conferma che prima o poi arriverà, la guerra, a eliminare senape selvatica e zafferano in un solo enorme mazzo indistinto.

Se ci penso meno non è dunque perché ritenga meno probabile la guerra. È perché giorno dopo giorno il mio ritmo si slega da quello delle notizie a rullo, la mia assenza prende corpo, la maledizione dell'uomo informato (sapere tutto, e non poterci fare niente) perde presa, e dunque forse riuscirò a essere tra i fortunati che fino a un attimo prima non avranno contezza della vampa che arriva. Mi prenderà alle spalle in un campo come questo, morirò ignaro come i Diurni, il cane Gonzo, la Bulgara, un secondo prima ero vivo e felice, un secondo dopo ridotto in cenere come le lettere di mia madre, come tra poco accadrà al canapè di zia Vanda. Avranno avuto la mia morte, i Popoli con Bandiera: non certo la mia vita. Fanculo, Popoli con Bandiera.

Chissà se Maria sarà vicino a me, quel giorno, oppure in salvo, accampata in qualche aeroporto rimasto aperto, a guardare uno dei grandi schermi sospesi sulle teste dei superstiti chiedendosi, nello sconquasso, se ha ancora un marito da mantenere. Intorno a lei, gente che urla al cellulare in tutte le lingue, per cercare di capire da quale lembo del pianeta, solo sfiorato dall'ecatombe, si potrà ripartire.

Io dico che la Bulgara, come molte femmine, legge nel pensiero, perché proprio mentre sto riflettendo sugli incenerimenti di ogni calibro – da quello del pianeta Terra a quello del canapè di zia Vanda – rompe il silenzio. Raddrizza la schiena, ficca una mano in tasca per prendere una Camel, prima di accenderla mi guarda e dice: "Se devi bruciare ancora cose, tu dimmi quali cose, magari serve a me. Se non dispiace, io le prende".

Mi sento come il bambino colto in fallo, sorrido. "Sai che cos'è un canapè?" le domando.

"No, non lo so."

"È una specie di divano. Un vecchio divano sfondato. Ho deciso di bruciarlo, insieme alle altre cianfrusaglie di mia zia."

"Perché non dai a me?"

"Ma è molto brutto. Era brutto anche da nuovo, adesso ha due piedi rotti, il sedile sfondato, e la fodera è piena di buchi. Ormai ci sono più buchi che fiori."

"Ha fiori? Allora è belissimo. Posso venire a prenderlo con Severino?"

Rapido dibattito interiore: posso ammettere che questa energica giovanotta venuta da lontano interferisca così direttamente nei miei piani, io che avrei anche potuto, con un po' di pazienza in più, diventare ministro? Posso abdicare così di colpo, senza nemmeno abbozzare una reazione, al mio potere sull'esercito di oggetti che mi circonda? Possibile che, per vuotare almeno in parte quel vacillante imbuto che mi rappresenta, basti il pick-up di Severino? E se non ci avevo mai pensato prima (così come non mi era mai venuto in mente di affidare a Maria, al suo solido vaglio da ingegnere, il carteggio di mia madre con Sandro Losandro), non è forse perché sono dannatamente sprovvisto della semplicità, anzi dell'umiltà, necessaria per affidarmi agli altri? E dunque – dibattito chiuso – l'occasione è da cogliere al balzo, è un dono del destino.

"Ma certo, vieni pure a prenderlo, il canapè. Ho un sacco di altre cose vecchie da farti vedere."

La immagino che carica sul pick-up, dicendo "è belissima", anche la stampa di Pruzzo. E un paio di lugubri abat-jour col paralume giallo. E l'Enciclopedia della Donna. Come ho potuto non pensarci prima? Rivedrò a casa loro, andando a cena, le cose di zia Vanda, e scoprirò che non erano poi così tremende. O meglio, era tremendo il loro incombere, tutte assieme, inerti, sul povero Attilio. Nella loro nuova dimora potranno aggiungere alle vecchie patine stratificate – l'umidità che le case liguri sprigionano nel chiuso dell'inverno, i tristi deodoranti spray che zia Vanda elargiva a litri – anche gli effluvi della pasta e fagioli della Bulgara. Basterà, a dare nuova vita, perfino nuova dignità, a quegli avanzi di grande magazzino, uno dei suoi rari sorrisi.

Ci raggiunge anche Severino. Non è nemmeno mezzogiorno e il campo è già pulito. Tra pochi giorni le erbacce ammucchiate saranno secche, ci vorrà poco per portarle fuori dal coltivo, caricarle sul rimorchio e buttarle nel grande macero di compostaggio dietro la cascina. Per istinto piromane preferirei bruciarle, ma Severino mi spiega sempre che la decomposizione è molto più sana della combustione. È uno dei nostri grandi argomenti di discussione. Io il piromane, lui il compostiere. "Ci vuole molto più tempo e puzza un poco. Ma alla fine viene fuori un bel po' di concime. Bruciare invece è violento, e inquina. Tu non hai capito che il tempo è il padrone di tutto. Hai troppa fretta, non hai pazienza. Come tutti i manidimerda di città."

"Manidimerda sarai tu. Guarda com'è pulito il campo."

"Per forza, c'era mia moglie."

27.
Alle porte dell'inverno, il classico colpo di scena

Non mettevo una giacca da mesi. Questa qui, blu cobalto, a due bottoni, con i revers sciallati, è un po' da cantante, difatti la misi l'ultima volta per andare in televisione. Fu la costumista, passando in camerino per vedere se avevo bisogno di una spazzolata o di una pettinata, a dirmi: "Che bei revers sciallati!". Io non lo avrei mai saputo, altrimenti, che erano sciallati. Da allora conservo questa giacca con una certa considerazione. Non ricordo dove l'ho comprata, e perché. Di certo però non me l'ha regalata Maria: odia i vestiti eccentrici.

Anche per i miei gusti è un po' troppo vistosa. Per i canoni estetici di Roccapane, poi, è un indumento inconcepibile: se mi presentassi al bar vestito così penserebbero a uno scherzo, o che sono diventato matto. I giocatori di tressette interromperebbero la mano sgomenti. Ma in condizioni decenti non me ne sono rimaste altre, di giacche, e dunque ho messo questa. Stringe appena sullo stomaco – la seducente cucina della Bulgara mi sta rovinando –, ma basta non abbottonarla. Per giunta rimarrà invisibile fino a quando leverò sciarpa e giaccone, entrando nel ristorante dove mi aspetta Lucrezia. Non la vedo dalla primavera scorsa. Più di sei mesi. Vedo più di frequente perfino mia moglie Maria.

(Per non parlare dei due figli di Lucrezia, i miei due nipoti adolescenti mai conosciuti, mai visti se non in qualche sparuto video, con i loro ricci biondi e tutte le moine da esibizione. Abbandonati a Salonicco, poveretti, in qualche villa decadente, nelle mani di un'istitutrice isterica, sicuramente a drogarsi. Anche l'istitutrice.)

La camicia bianca ho dovuto cercarla a lungo, era sotto una pila di maglioni, ancora nella busta di plastica della lavanderia. Non so come sia possibile, ma dopo mesi di sepoltura profuma ancora di pulito. Non mi è dispiaciuto lavarmi con cura insolita, regolare la barba, guardarmi allo specchio, scoprire che il taglio di capelli del barbiere di fondovalle regge dignitosamente. Sono stato contento, anche, di guidare la vecchia Toyota di Maria giù per la valle, poi in autostrada, fino ai vialoni anonimi che introducono alla civiltà, circumnavigando rotonde spelacchiate e costeggiando muri incolori.

Avevo proprio bisogno di scendere in città, devo ringraziare Lucrezia di avermi avvertito del suo passaggio, e invitato a cena. Il rumore, il traffico, la gente, l'intreccio incessante dei movimenti e delle luci mi danno un gradevole stordimento. Cammino dal garage al ristorante, con i miei revers sciallati ben custoditi sotto il giaccone, godendo di fare parte della casuale e fitta trama di persone e cose che anima ogni grande città. È un po' come camminare nel bosco: sei nel fitto, eppure da solo.

Certo, ho paura che qualcuno mi riconosca, e magari mi fermi per discutere di qualcosa che ritiene di mia pertinenza, e non lo è più. (La situazione politica mi riguarda e mi coinvolge più o meno quanto riguarda e coinvolge i Diurni pakistani, o il cane Gonzo. Sono un disertore della peggiore specie: zero rimorsi, e anzi il piacere quasi quotidiano di valutare quello che mi sono perso, a quali rabbie e pene sono scampato.) Ma sarebbe solo un piccolo incidente, essere riconosciuto, subito assorbito dal piacere di ritrovarmi disperso nella quantità, la riposante folla senza nome, senza direzione, che non ti chiede nulla e dalla quale niente pretendi. La folla in carne e ossa, la folla *vera* insomma, gli uomini e le donne e i vecchi e i bambini, i cani al guinzaglio, i runner, i paralitici, i veloci e gli esitanti, gli stazionanti in crocchio, le coppie, i solitari. Ci si sfiora e ci si perde, come dovrebbe essere. L'esatto contrario del mostruoso coro social: ci puoi sprofondare dentro, nella folla *vera*, spalla a spalla sul metrò, fiumara umana lungo il marciapiede, in coda nei negozi e negli ambulatori, sentirne l'odore, udirne le voci, distinguerne i volti, eppure rimani splendidamente solo. Indenne. Pesante e indesiderabile nella sua nuova formulazione elettronica, la gente ritorna leggera e impalpabile quando è composta da tonnellate di carne. Fanno parte delle "tonnellate" di cui parla Maria, quelle che reggono il mondo. Vedendole tutte insieme, le tonnellate di persone, si dubita che la guerra, per quanto letale, possa avere ragione, alla fine, di tutta la nostra infinita carne. Ci saranno di certo degli scampati. È un pensiero confortante? Sì, è un pensiero confortante.

Entro nel ristorante e subito percepisco, come mi capita fin da bambino, che mia sorella è già lì: emana la sua luce ambrata seduta a un tavolo d'angolo. Si sta guardando attorno, quieta, con il mento appoggiato sulla mano chiusa a pugno, un paio di bracciali scintillanti all'avambraccio, lo sguardo di lapislazzuli che perlustra il locale facendo strage di chi lo incrocia. Se Kate Moss avesse gli occhi di lapislazzuli, sarebbe identica a Lucrezia.

Cinquant'anni? Impensabile che sia davvero questa l'età di mia sorella. Va bene i prodigi del reddito, i tre mariti ricchi, l'immaginabile qualità dei cibi, dei vestiti, dei belletti, e l'agio delle residenze, e le abluzioni in cessi di alabastro (vedrà bouganville oppure passiflore fare capolino alla finestra della sua sala da bagno?). Ma qui lo scandalo della bellezza è quasi indecente, e farebbe pensare, classicamente, al patto con il demonio, non fosse che tra mia sorella e le tenebre – lo posso testimoniare – nessun rapporto è pensabile. Non conosce i secondi fini, solo i primi: farsi ammirare dagli uomini, sposarne uno molto ricco, anche più di uno, facciamo tre, e godersi la vita nelle sue infinite profferte di agio e bellezza. Nella contentezza, e anche nella lussuria, mia sorella non vede niente di torbido o di compromesso. Soltanto vita, soltanto natura. Anche la Jaguar dodici cilindri del marito franco-libanese, quando lei sale a bordo, abbassa lo specchietto di cortesia e si ripassa il rossetto, diventa natura. Lo testimonia la voce, davvero incantevole, del dodici cilindri quando si mette in moto.

Leggo nello sguardo di chi mi osserva, mentre mi avvicino al tavolo, un'evidente invidia. Per fortuna ci assomigliamo così poco, Lucrezia e io, che la parentela non è intuibile. Più facile immaginarmi come il marito, o un pretendente. Percorrendo gli ultimi passi che mi separano dal nostro tavolo, mi ritrovo a domandarmi se sono all'altezza della scena, e a verificare con un fuggevole tocco della mano se i revers sciallati sono a posto e la giacca cade senza intoppi sul fondoschiena.

Lucrezia si alza, la chioma bionda è raccolta sulla nuca da un grosso fermaglio di legno, gli occhi lucenti, sopra gli zigomi larghi, paiono gemme poggiate su una mensola. Ha una camicetta color crema, jeans neri di quelli che costano sempre qualcosa di più di quello che uno pensa possa mai costare un paio di jeans, probabilmente un paio di ballerine, anche se non le vedo. Le porta quasi sempre, anche in inverno, anche di sera. Ne possiede milioni, di qualunque colore. Mi butta le braccia al collo, e mentre dice a bassa voce "Atti! Era ora!", e io le rispondo "era ora lo dico io!", sento un profumo vertiginoso, da mille euro a goccia, prodotto in esclusiva per lei e per la favorita del sultano. La abbraccio con lo stesso suo slancio. Non so di preciso che cosa significhi ma ci vogliamo bene, Lucrezia e io. Per giunta, senza le complicazioni che gravano sugli amori non fraterni, tutti quei sospetti, quelle recriminazioni, quelle attese. Pretendiamo abbastanza poco l'uno dall'altra, penso mentre mi siedo. A me sarebbe piaciuto, questo è vero, che mi desse una mano a liberarmi delle cose di zia Vanda, e di tutto il resto. Ma ormai, neanche più quello. Faccio da me, pazienza. Quanto a lei, credo si aspetti qualcosa soltanto dai miliardari che l'hanno impalmata. Da un fratello spiantato, leader politico fallito, scomparso su per le montagne a coltivare zafferano, cosa volete che si aspetti.

Ci guardiano, passiamo brevemente in rassegna, come ogni volta, le novità che il tempo ha introdotto nelle nostre persone, senza doverlo fare con la circospezione e la diplomazia delle coppie sessuate.

"Hai un po' di pappagorgia, Atti. Mangi troppo, da quando abiti su quell'assurdo cocuzzolo."

"Tu invece dimostri venticinque anni. Dovresti vergognarti, alla tua età. Quando è che ti decidi a diventare una vecchia gallina, così la smetti di divorziare?"

"Ma se sono sposata con Thierry da quattro anni, ormai! Sei diventato moralista?"

"Lo sono sempre stato."

"Be', allora devi cambiare giacca, se sei un moralista. Hai una giacca da direttore di night club."

"No, è da cantante. Facciamo che è da cantante moralista. Ci saranno pure dei cantanti moralisti, no?"

"La riconosco. Te la sei messa in televisione quella volta che hai litigato con qualcuno, tanto per cambiare."

"Non ricominciare. Non voglio saperne più niente, di quella roba. Smettila di farmi memoria, io non ho un buon rapporto con la memoria, non so come fartelo capire."

"Io mi ricordo tutto, invece. Marito dopo marito." Ride leggera, portandosi un angolo del tovagliolo davanti alla bocca perché stava sbocconcellando un po' di pane. I due bracciali all'avambraccio tintinnano. Io non rido, però sorrido di lei e della sua rivendicata ingordigia di vita. È un sorriso complice. Tengo per lei, da sempre. Non sono così moralista, evidentemente.

La cameriera è al tavolo, in attesa delle ordinazioni. È una ragazza cordiale, un bel grembiule amaranto sopra la camicia nera, come tutto il personale del locale, e in testa una specie di basco, sempre amaranto. Piuttosto elegante. Non c'è niente da fare: l'uniforme, tranne che sia di rovinosa bruttezza, migliora sempre le persone e i luoghi, e questo mi riporta, è inevitabile, alla mia legge sull'uniforme obbligatoria nelle scuole di ogni ordine e grado. Il pensiero si somma al cenno che Lucrezia ha fatto, poco fa, alla mia lite televisiva – più di una, per la verità. Il mio umore rischia un viraggio pericoloso, tendente al nero, non avevo calcolato di parlare della mia vecchia vita, questa sera, e dunque mentre ordiniamo le crudità di mare e una bottiglia di Sauvignon carissimo (siamo agli antipodi urbani, rispetto alla cucina rupestre della Bulgara) decido che da qui in poi si dovrà parlare di Lucrezia, non di me.

Ha già mangiato almeno un paio dei piccoli panini multiformi schierati accanto al suo piatto. Aspetta il vino con manifesta impazienza, lo ha scelto lei forse per togliermi dall'imbarazzo e chiarire che il conto sarà suo (grazie Lucrezia, grazie Maria, grazie Bulgara, mie nutrici), forse perché mi immagina inadatto a maneggiare una carta dei vini; ormai imbarbarito, intronato dalla solitudine, che ingollo senza fare una piega certi vinacci rossi con la schiuma, dolciastri e artefici di rutti. E in parte è proprio così. Vero anche l'inizio di pappagorgia.

Lucrezia, invece, è in forma incantevole e immutevole, lei con l'uniforme (Grandissima Fica, almeno pari grado di Gran Commodoro, o Contrammiraglio) ci è proprio nata. Ce l'aveva cucita addosso. Sia pure con elegante sorseggio si scolerà la sua mezza bottiglia, stasera, e tutti i panini multicolori, il pesce crudo, poi un risotto, forse il dolce, e si alzerà dal tavolo identica a prima; e domattina si sveglierà, in uno degli alberghi più cari della città, indenne, come nuova, pensando "povero Atti, come andrà a finire il mio povero Atti?". Forse la raggiungerà il famoso Thierry, chiedendole com'è andata la cena con quell'imbecille di suo fratello. Litigheranno – spero – perché lei gli risponderà: "Non è affatto un imbecille. Ha solo cattivo carattere". Oppure, magari, niente Thierry; andrà a incontrare un nuovo amante, e a illuminare altre stanze.

"Dimmi dei tuoi ragazzi," le chiedo mentre affrontiamo esili striscioline di pesce.

"Stanno benone. Sono con me a Londra, adesso."

"Ma come? Non erano a Salonicco?"

Ride. "Sei veramente fuori fase, Atti. Te lo avevo anche scritto: da settembre abito fissa a Londra, e ho portato con me Athina e Nikos. Ma non le leggi, le mie mail?"

"Mah, quasi tutte. Le tue, anzi, le leggo proprio tutte. Sei sicura di avermelo scritto?"

"Ma certo. Ti ho anche mandato un video della mia nuova casa. Con i ragazzi. Non sarà finito tutto nello spam?"

"Se me le hai mandate dalla tua mail, no di certo. È delle pochissime per le quali non ho automatizzato lo spam."

"Oddio Atti, allora sai cosa può essere successo? Negli ultimi mesi scrivo solo dalla mail di Thierry. La mia ho dovuto chiuderla per una stupida storia di stalking, me lo ha suggerito la polizia postale. Un tizio ossessionante. Anche minaccioso. Una specie di gangster. Scusa, avrei dovuto avvertirti... potevo telefonarti..."

"Potevi telefonarmi, sì. Almeno per informarmi che un gangster sta per diventare il tuo quarto marito, e il mio quarto cognato."

"Inutile che fai lo spiritoso. Se non sai più niente di me è anche per colpa tua. Con questa fissazione di isolarti, di non parlare più con nessuno! Vedi cosa succede, poi? Ti scrive tua sorella e nemmeno lo sai. Come fai a vivere così? Su quel cocuzzolo dove non c'è niente!"

"Ci sono un sacco di cose, su quel cocuzzolo. E se ho deciso di abitarci, si vede che mi trovo bene. Bisognerà che ce ne facciamo tutti una ragione."

"Ma è una cosa egoista! E-go-i-sta. Vivere facendo a meno degli altri. E se gli altri hanno bisogno di te?"

Mi verso un po' di Sauvignon. Cambio discorso. "Ma a parte il trasferimento a Londra, come se la passano i ragazzi? Si sentono sbalestrati? O hanno trovato un equilibrio?"

"Sbalestrati... non esageriamo! Tutti i loro amici sono figli di divorziati. Non è poi questa gran tragedia. Hanno un sacco di stimoli e occasioni in più. Sono stati per un po' di anni col padre in Grecia e in Marocco, adesso abitano con me a Londra. Le scuole sono migliori, le università non ne parliamo."

"Già, il Marocco. Non me lo ricordavo, che c'era anche il Marocco. Certo non hanno avuto il tempo di annoiarsi, quei due."

"Il padre vive lì per molti mesi all'anno, costruisce nuovi quartieri. Ha una casa bellissima, a Marrakech. La sua nuova moglie non ha figli, è stata sempre molto carina con i miei ragazzi. Io lo so, andavo spesso a trovarli. Bisognerebbe sdrammatizzarle un po', queste cose, Atti. Altrimenti si vive terrorizzati dalle conseguenze di ogni gesto."

(Due divorzi e tre mariti, nella visione delle cose di Lucrezia, vanno inseriti nella generica categoria "ogni gesto"... Se avesse ragione lei, penso mentre giustizio nel piatto l'ultima Saint-Jacques, vorrebbe dire che sono io, ad avere preso troppo sul serio molte cose. A partire dalla politica. E da me stesso. Se fossi fatto come mia sorella, avrei digerito come niente fosse la pessima accoglienza che il mio stesso partito aveva fatto alla legge sull'uniforme obbligatoria nelle scuole.

Ora magari sarei ministro, un paio di sere a settimana in televisione. La giacca con i revers sciallati sarebbe tornata utile.)

"Comunque," riprende lei, "quanto a famiglie normali, non è che ce ne siano in giro molte, vero Atti?"

La guardo. Mi ero distratto. Mi sta fissando, come per cercare sponda alla sua ultima frase. Non ho capito se è un concetto generico, la scarsità di famiglie normali, con relativa allusione al cambiamento dei costumi e a tutto il resto; oppure se c'è un riferimento specifico. Al mio matrimonio?

"Se vuoi dire di me e Maria, ci vediamo in media un paio di giorni al mese. Non so dirti se sia normale oppure no. Finché la baracca regge, però, direi che siamo più normali di quanto sembra."

Lucrezia scuote appena la testa e accenna un sorriso infantile, con le fossette ruffiane ai lati delle labbra serrate, che conosco bene. È lo stesso sorriso che mi faceva, da ragazzini, quando si doveva stringere un patto, o condividere un segreto.

"Ma dai, lo sai benissimo che non sto parlando di te e Maria. Sto parlando della *nostra* famiglia, Atti. I tempi erano molto diversi, le cose si facevano di nascosto. Non è meglio adesso, che tutto è più chiaro, e alla fine anche meno doloroso?"

Stop, fermi un attimo. Sento che sta accadendo qualcosa, nella nostra serata. Qualcosa di inatteso, forse di pericoloso. Lo percepisco dalla fantastica incoscienza (tipicamente sua) con la quale Lucrezia si sta avventurando in un territorio che le persone di buon senso, in genere, osservano dai margini, come si fa con un campo minato. Lei, con le sue ballerine e gli occhi di lapislazzuli, ci sta entrando come se fosse in gita di piaccre – come ha sempre fatto. Per quanto leggero, il suo bel piede potrebbe calpestare una mina, lo sento. Lo so. E nel brevissimo silenzio che segue la sua ultima frase (*Le cose si facevano di nascosto, non è meglio adesso che tutto è più chiaro?*) le rotelle del mio cervello cominciano a girare molto più velocemente, e già il lubrificante chiamato "calma", da qualche ghiandola benevola, entra in circolo, nel caso che qualche sinapsi si surriscaldi e necessiti di soccorso immediato. Ci sono momenti, nella vita, in cui il cervello dovrebbe funzionare come un dodici cilindri ben carburato, invece non succede quasi mai...

Per ora siamo solo alla fase della messa in moto. Il mio cervello non è ancora entrato in temperatura (troppo repentino il precipitare della conversazione), ma sta esaminando velocissimo la situazione. Che cosa accadde *di nascosto*, nella nostra famiglia? Mio padre, o mia madre, o entrambi, avevano un amante? È questo che sta cercando di dirmi, Lucrezia, con una certa indelicatezza nei confronti dei nostri genitori, e a tempo ormai scaduto? Vuole condividere con me, Lucrezia, l'idea che una relazione clandestina sia più grave o più immorale della trionfale sequenza di uomini, tutti in chiaro, variamente arruolati come marito o amante fisso o meteora, che ha inanellato in poco più di una trentina d'anni? Il sorriso infantile con il quale mia sorella mi sta guardando, quello con le fossette e le labbra serrate, non vale a rassicurarmi. Lo manterrebbe anche se stesse per farmi la confidenza più sconvolgente, la confessione più indecorosa. È lo stesso sorriso che deve avere fatto ai suoi uomini per siglare l'abbandono, o ai suoi figli per pregarli di non farla troppo lunga con le loro recriminazioni. Lo stesso sorriso che mi farebbe se dovesse dire a me, suo fratello, che mio padre aveva un'altra famiglia, o che mia madre aveva una relazione con...

Con Sandro Losandro?

Bevo un sorso di Sauvignon. Cercando di non tradire agitazione, e di seguirla nel campo minato con qualche circospezione, le domando:

"Che cosa vuoi dire, dicendo 'di nascosto'?".

"Be', Atti. Non si usava, allora, mettere in piazza i fatti propri. Erano cose che rimanevano tra quattro mura."

"Quali *cose*, Lucrezia? Sai che non capisco di che stai parlando?"

Ammutolisce. Mi fissa con uno strano, improvviso spavento nel fondo dello sguardo. È la prima volta, direi, che lo intravvedo, il fondo del suo sguardo, dietro la luce di lapislazzuli che a un tratto si spegne. Tutto rimane sospeso. Si è accorta all'improvviso di essere in mezzo al campo minato, e suo fratello minore insieme a lei. Cerca il passo da fare per non saltare in aria entrambi, trattenendo il respiro, irrigidita per l'allarme. Ma è un lampo. I suoi occhi riprendono la loro luce normale. Sospira. Beve anche lei un po' di Sauvignon, facendo tintinnare piano i braccialli.

"Devi scusarmi, Atti, ma io non ho mai pensato, neppure per un attimo, che tu non lo sapessi."

"*Che cosa*, Lucrezia?"

"L'ho sempre dato per scontato. La mamma ne aveva parlato con me, dunque ero sicura, sicurissima, che ne avesse parlato anche con te. Solo adesso, Atti, capisco dalla tua reazione che forse non è andata così. Forse a te non aveva detto tutto."

"*Che cosa*, Lucrezia, la mamma ha detto a te e non a me?"

"Mi dispiace, davvero mi dispiace. Forse sono stata stupida a parlarne così direttamente, ma come potevo immaginare che tu non lo sapessi? Va bene che tra noi femmine c'è più confidenza, ma non è giusto che tu..."

"Io *che cosa*, Lucrezia?"

Sospira una seconda volta. Scuote la testa, reclina lo sguardo sul tavolo, vedo le lunghe ciglia nere vibrare appena nella penombra. Le mie sinapsi si sono disposte già per loro conto, con un'efficienza che non mi sarei mai aspettato, in modalità "qualunque cosa tu stia per dirmi, non credere di trovarmi impreparato". Il battito del cuore è un po' accelerato. Vedo con la coda dell'occhio la cameriera che si avvicina al tavolo con i nostri risotti. È ancora qualche passo indietro quando la mina brilla, senza spostare una sola briciola sulla tovaglia, senza interferire con il brusio educato delle voci attorno a noi.

"Tu e io non abbiamo lo stesso padre, Atti. Se avessi immaginato che non lo sapevi, ti giuro che..."

La cameriera arriva con i risotti, ignara di avere interrotto una così rilevante pagina di romanzo. La classica scena madre, che a leggerla o a vederla al cinema sorridi per quanto inverosimile è il concentrato di vita che ti viene propinato in poche parole. Capita invece – una serata su mille, un tavolo di ristorante su mille – che una conversazione sfugga al controllo dei suoi artefici e sveli una traccia astrale, un nucleo incandescente, un'orma di mastodonte. Qui, stasera, è l'orma di mastodonte: il passato che di colpo squarcia il tempo e mostra la sua forma, la sua presenza, la sua potenza.

Aspetto di vedere la ragazza scomparire, con il suo basco amaranto, e rivolgo a Lucrezia l'ovvia domanda che segue la sua rivelazione: "Tu o io?".

Nel tempo infinitesimale che impiego a formularla, le mie sinapsi hanno già previsto la risposta: loro sanno, e lo sanno da sempre, che Lucrezia assomiglia molto a nostro padre. (Non so dire del padre di Kate Moss, non ho mai visto sue fotografie.) Quella che ho chiesto, dunque, è solo una conferma. E infatti Lucrezia, con la riconquistata calma di chi non è abituato a perdere il controllo della situazione, mi risponde: "Tu, Atti".

"Papà lo sapeva?"

"Non ne ho idea. La mamma non me l'ha detto."

"E mio padre chi sarebbe?"

"Non so nemmeno questo. La mamma mi fece capire che ti aveva avuto da un altro."

"Sandro Losandro... Sono figlio di Sandro Losandro..."
"Come fai a esserne sicuro? Hai letto quelle lettere?"

Ecco. Se fino a qui si trattava, dopotutto, di un uomo adulto che viene a sapere, dopo la morte dei genitori, di essere nato da un diverso intreccio, be', per quanto brusca sia la rivelazione si tratta di qualcosa che riguarda, dicono, circa il dieci per cento dei nati. Centinaia di milioni di esseri umani non sono figli del loro genitore legale, buona parte di loro non lo saprà mai, agli altri capiterà di venirne informati, o di scoprirlo, negli infiniti modi che la vita mette a disposizione. Per esempio, una sera al ristorante. È un trauma? Sì. Però superabile. È uno scandalo? No, non lo è. Solo per chi non sa niente della vita. Tipo Beppe Carradine.

Ma adesso che Lucrezia mi chiede se ho letto quelle lettere, mi rendo conto di non essere, banalmente, uno che ha appena saputo di non essere figlio di colui che ha sempre considerato suo padre. Come capita a molti. No, io sono uno che probabilmente ha appena ridotto in cenere la propria genesi, la traccia scritta che forse certificava chi era davvero suo padre. Che magari è ancora vivo – che ne so, io, di Sandro Losandro. Un tempismo micidiale, anche abbastanza spaventoso, come se esistesse un angelo dell'oblio, e proprio lui mi avesse messo l'accendino in mano.

Guardo mia sorella. Lei mi guarda. Siamo entrambi molto seri. Io scombussolato, ma sotto controllo, dentro la mia giacca con i revers sciallati. Lei come sempre serena, non ancora sorridente per puro rispetto del mio stato d'animo. È in attesa di una mia frase che riporti la serata entro i margini, per lei inviolabili, del "così è la vita, tanto vale viverla". Le dico:

"Le ho bruciate. Pochi giorni fa, le ho bruciate tutte. Non saprò mai, diciamo ufficialmente, se mio padre è Sandro Losandro. Oppure un altro tizio".

Lucrezia si appoggia allo schienale e abbandona le braccia ai lati della sedia.

"Non ci credo. Non puoi averlo fatto."

"Credici, invece. È successo proprio così."

"Ma è pazzesco, Atti. Che cosa ti è saltato in mente? Proprio quelle lettere dovevi bruciare? Non potevi aspettare?"

"Aspettare che cosa, Lucrezia? Che i topi divorino le centinaia di casse, imballi, mobili di merda, libri sfasciati che io, non tu, mi tengo in casa? Ma ti rendi conto che ho ancora un paio di magazzini pieni di roba?"

"Ma hai bruciato la sola cosa che non dovevi assolutamente bruciare!"

"Sembrerebbe di sì. A meno che..."

"A meno che cosa?"

(Bevo un altro sorso di Sauvignon. Anzi un mezzo bicchiere.)

"A meno che non fosse, al contrario, la sola cosa giusta da bruciare. Metti che questo Losandro, dal carteggio, risulti un farabutto, o un coglione. Non è meglio non saperlo, che io sono *veramente* suo figlio? Per dirla tutta: io *non voglio* essere figlio di Sandro Losandro. Dunque, ho fatto benissimo a bruciare quelle lettere."

Con l'aiuto delle mie sinapsi, schierate come opliti, vigili, pugnaci, sento che la mia testa sta già elaborando una strategia di sopravvivenza.

"Stai rivoltando la frittata, Atti."

"Ho fatto politica per qualche anno."

Difficile che sui tavoli vicini si addensino paragonabili tempeste. In rapporto al numero dei coperti, in un ristorante del genere saranno al massimo una al mese, le conversazioni di uguale peso. In attesa del dolce, che Lucrezia ha ordinato e io no, cerchiamo di mettere insieme, come le tessere di un puzzle trovate sparpagliate in un cassetto (dove sarà finita la scatola con la figura?), le comuni memorie di nostro padre, morto d'infarto ormai molti anni fa, nemmeno sessantenne, in un bar a cento metri da casa nostra. Dico a Lucrezia che considerarlo "nostro" padre, alla luce degli eventi e anche del recente rogo, tutto sommato è lecito. Per me lo è stato per quasi cinquant'anni e fino a mezz'ora fa: non pretenderà mica, questo Sandro Losandro del cazzo – ammesso che sia davvero lui l'inseminatore –, di ribaltare un equilibrio così consolidato! Con quale diritto vorrebbe fare irruzione nella mia vita, nel ruolo del padre, poi, che non è esattamente una parte secondaria?

Quanto alla scelta di mia madre di non dirmi nulla, è censurabile? Non più censurabile della scelta opposta. Si sarà chiesta: devo o non devo dire a uno dei miei figli che è un bastardo? Devo scaricargliela addosso, la differenza, oppure devo portarmela dentro senza dire niente, visto che sono stata io a fabbricarla, quella differenza?

Se ne potrebbe discutere per anni interi, su quanto la cosiddetta verità sia un dovere morale, quanto un puntiglio implacabile, non sempre commisurato ai benefici. Magari, ecco, mia madre, una volta informata mia sorella, avrebbe fatto bene a dirlo perfino a me. E mia sorella, nel dubbio che io potessi non sapere, avrebbe potuto starsene zitta. O introdurre l'argomento per gradi, con la circospezione opportuna. Ma Lucrezia, figuriamoci...

28.

Quella stessa notte

Ho caricato Lucrezia su un taxi, l'ho abbracciata, le ho detto che non sarebbe male rivederci almeno un paio di volte, prima di morire. Lei mi ha risposto che dipende da me. Che non posso pretendere che tutti quanti vengano a trovarmi su quell'assurdo cocuzzolo. "Assurdo cocuzzolo" per mia sorella è qualunque luogo situato, nel mondo, sopra il livello delle vie dello shopping. Dalle montagne del Tibet, monaci inclusi, alle prime alture prealpine poco sopra le fabbriche; dall'Aconcagua con i condor ai modesti montarozzi che circondano alcune grandi città: siamo comunque nella categoria dell'assurdo cocuzzolo. Se mia sorella incontrasse il Dalai Lama, gli chiederebbe che cosa accidenti ci fa, su quell'assurdo cocuzzolo.

"Ti aspetto a Londra," dice, mentre le sue mani stringono le mie, e gli occhi di lapislazzuli, sgominando l'oscurità del marciapiede, illuminano non soltanto il suo volto ma anche il mio.

"Ti voglio bene lo stesso," le dico, "anche se non sei figlia di Sandro Losandro."

Ride, benedetta ragazza, ride che è una meraviglia, perché non sono capace anch'io, di ridere così? Le prometto che ci andrò, a Londra, così finalmente potrò conoscere i miei due nipoti biondi e viziati. Li inviterò da me. Non c'è migliore occasione, per cambiare vita e smetterla di drogarsi, che andare per qualche giorno, la prossima estate, dallo zio che abita sull'assurdo cocuzzolo.

"Ma non si drogano affatto!" mi interrompe Lucrezia quasi offesa.

"Non capisci mai le battute," le rispondo chiudendo la portiera del taxi.

Passo dal garage, è quasi l'ora di chiusura, pago l'esosa tariffa a un guardamacchine per niente cordiale, penso che con quei soldi al bar di Roccapane si cena in tre (io, Severino e la Bulgara). È un ragionamento da contadino e mi colpisce averlo fatto. Soltanto un anno fa non credo mi sarebbe mai venuto in mente. Sono diventato parsimonioso, da quando mi mantiene mia moglie. E a parte questo, il valore delle cose, ricchi o poveri che si sia, andrebbe sempre rimesso in discussione, se non si vuole diventare stupidi.

Porto la macchina fuori e la parcheggio in strada, approfittando del sonno dei parchimetri. Verrò a riprenderla più tardi.

Poi comincio a camminare spedito, come faccio a Roccapane, ed è mezzanotte passata. Non è la stessa cosa, in città, non c'è l'immenso spazio che annichilisce la tua sagoma e la consegna all'infinito (ecco cosa ci fa, il Dalai Lama, sul suo assurdo cocuzzolo: si consegna all'infinito). Ma i passi filano ugualmente, coprono prima i metri, poi i chilometri, come se nessuna distanza fosse fuori portata. Fanno orlo al cammino, invece degli alberi, la fuga dei lampioni, il corteo dei portoni chiusi, la luce tenue dei citofoni. Nel buio il profilo dei tetti e dei cornicioni è molto più incerto che di giorno, perde geometria, può assomigliare a quello dei monti. La folla urbana è scomparsa, l'umanità è diventata una manciata dispersa di singoli o di coppie che rincasano nel vuoto notturno. Se non passano automobili, e ne passano poche, senti il rumore dei tuoi passi, il respiro che batte alle tempie, il brusio dei tuoi pensieri che prende forma e voce. È la voce più difficile da udire per come veramente suona e per quello che davvero dice, è la tua propria voce, quella che gli altri sentono e tu, le volte che la riascoltavi registrata nei talk, non riuscivi a riconoscere. Ti sembrava la voce di un estraneo.

Mi chiamo Attilio Campi. Abito a Roccapane e coltivo zafferano. Vado verso i cinquanta – non è l'età perfetta? Anche se indosso, sotto il giaccone, una pazzesca giacca con i revers sciallati, del tutto inadatta a uno statista, sono l'autore di una legge, quella sull'uniforme obbligatoria nelle scuole di ogni ordine e grado, che avrebbe cambiato in meglio, molto in meglio, questo paese. Ho appena saputo che il mio genitore biologico non è mio padre, ma quasi sicuramente uno studioso di graffiti rupestri che forse ho incontrato un paio di volte, da bambino, e del quale non ricordo più niente, non la faccia, non la voce. Mi sorprende non avere alcuna curiosità di conoscerlo. Mi sorprende ma non mi delude. Anzi: la considero, da parte mia, una prova di saggezza. L'ipotesi di cercarne le tracce su internet (vuoi che non abbia le sue brave sette-otto righe su Wikipedia? Vuoi che non abbia una paginetta social con faccina? o una di quelle micropinacoteche che ognuno consacra a se stesso su Instagram?) stride con la decisione, irrevocabile, di alleggerire il mio cammino. Ho appena sistemato, finalmente, il canapè di zia Vanda, sarebbe assurdo aprire un nuovo regolamento di conti, per giunta cento volte più faticoso, con il mio passato. Specie considerando questo: che Sandro Losandro, rispetto al canapè di zia Vanda, ha avuto nella mia vita, fino a un paio d'ore fa, un ruolo infinitamente meno rilevante, e soprattutto meno ingombrante. Un suo spermatozoo non può permettersi, a quasi mezzo secolo di distanza, di levarmi il sonno.

E se poi non fosse lui? Se fosse stato con un altro, che mia madre mi ha concepito?

Non lo saprò mai. E d'un tratto, a tre semafori da casa, capisco che questo non sapere ricaccia per sempre fuori dalla mia vita, nell'oscurità che la precede, ogni possibile illazione sul mio concepimento. Sono nato, sono qui, sono così, questo mi basta e mi avanza. Vivere sull'assurdo cocuzzolo non mi trasformerà mai in un omologo del Dalai Lama (sono troppo prepotente, per fare il capo), ma almeno qualche traccia di pace, e di mitezza, e di ridimensionamento, infine è concessa anche all'arrogante Attilio, quello che litigava così spesso nei talk show.

Cammino verso casa, la casa dove sono cresciuto, non più nel centro, non ancora in periferia. Passo una grande porta di pietra affumicata dal traffico, enorme in mezzo alla piazza vuota, e imbocco una lunga strada stretta, compressa tra i palazzi, coi marciapiedi risicati, un paio di metri al massimo tra le serrande dei negozi e le rotaie del tram. Le rotaie luccicano nella notte. Cammino, riconosco ogni metro, penso che tra cinquecento metri rivedrò, se c'è ancora, la cartoleria dove sceglievo con mia madre i quaderni, litigando sempre sul colore. E il bar dove mio padre, tutte le mattine, prendeva un caffè doppio e una brioche salata, e dove è morto di infarto aspettando l'ambulanza ripartita senza nemmeno azionare la sirena. Poco più avanti c'è la mia scuola elementare, e nella prima laterale a destra il brutto palazzo anni cinquanta, ricoperto di klinker marroni e con le ringhiere dei balconi in alluminio, nel quale siamo cresciuti Lucrezia e io.

Ma prima, ecco lo slargo con i platani, e i giardinetti con la fontanella. Il rumore che fa il rivolo d'acqua precipitando, nel suo moto perpetuo, dentro la piccola pozza di ghisa, è sempre uguale. Indifferente agli anni, alle sconsiderate offese che il tempo infligge ai bambini che hanno giocato là attorno e adesso sono adulti, o vecchi, o morti, o partiti per il mondo, oppure ancora lì davanti, con una pazzesca giacca dai revers sciallati, che ascoltano quel rumore indenne, intoccato, e guardano il riflesso dei lampioni che ondeggia nella pozza.

Bevo, come faccio da sempre, tappando la bocca alla fontana con il palmo della mano e facendo schizzare l'acqua dal forellino superiore. Il getto è gelido e vigoroso, non centra immediatamente il bersaglio delle labbra, un poco d'acqua scende fino al colletto della camicia, ho un brivido piacevole, mi asciugo il mento con la manica del giaccone. Avevo sete, ed è la stessa sete di quando giocavo a pallone da bambino. È tutto quanto sono disposto a concedere alla memoria, questa notte. Mancano al massimo duecento metri, per arrivare fino a casa. Preferisco di no. Faccio il percorso a ritroso, verso la macchina, per risalire sul mio assurdo cocuzzolo.

29.
L'alba del giorno dopo

"Ti piace l'alba?" mi chiede Federico.

"Mi piace che qualcuno me lo chieda. Non sono le domande che si fanno normalmente... Difatti, prima di te nessuno me l'aveva mai fatta."

Stringe la moka con le sue lunghe dita e la sistema sul fornello acceso. La sua voce da bambino contrasta con la serietà delle cose che mi dice. Come se un piffero suonasse un'aria sinfonica. Qualcosa in bilico tra il comico e il magico.

Dice: "Quando vivevo in città andavo a dormire all'alba. Adesso all'alba mi sveglio. E dunque posso dire di avere visto l'alba dai due versanti opposti. Prima da una parte e poi dall'altra".

"E da che parte la preferisci?"

"E me lo chiedi? Da questa! Prima, quando arrivava l'alba, tutto finiva. Adesso tutto comincia."

Sono tornato a Roccapane dopo un viaggio notturno lento e silenzioso, l'autoradio spenta, il motore della Toyota di Maria che girava liscio, senza attriti, come fanno certe volte i motori di notte: la assecondano. Me ne sto seduto sul divano sfondato di Federico, infreddolito, sfinito dalla nottata insonne. Fuori siamo sottozero, prima o poi deve nevicare. Ho ancora addosso la giacca con i revers sciallati, Federico quando l'ha vista ha scosso la testa e si è messo a ridere. Poi ha aggiunto: "Se sei conciato così vuol dire che ti è successo qualcosa di molto strano".

Giù a valle, mezz'ora fa, nel cinemascope del parabrezza, ho visto la notte cedere all'aurora. In pochi minuti la luce ha riconquistato il mondo. Sono salito lungo i tornanti che portano a Roccapane sapendo di trovare Federico già sveglio. Era in piedi nel prato di casa, alto, sottile, a braccia conserte, stringendosi nel maglione di lana grossa, con il cane Gonzo al fianco e le montagne di fronte. Guardava il giorno cominciare, il giorno di montagna, al tempo stesso immenso e familiare, che si spalanca davanti alla porta di ogni casa, come se ogni porta, per quanto piccola e trascurabile, avesse il giorno a sua completa disposizione.

Mi ha guardato sorpreso, "Attilio, a quest'ora?", gli ho detto che avevo bisogno di raccontare a qualcuno la mia serata in città. Siamo entrati, fuori si gelava, Gonzo ci ha lasciati ed è sceso scodinzolando verso la stalla delle capre.

Gli ho raccontato tutto molto in breve, è incredibile come anche le cose lunghe e complicate riescano a trovare, al momento giusto, una forma così semplice. Mi ha ascoltato in silenzio, sempre a braccia conserte. Ma invece di rispondermi, o forse perché è quella l'unica maniera per rispondere a uno che ti ha appena detto di avere saputo che non è figlio di suo padre, Federico mi ha raccontato la sua storia. L'ha proprio attaccata in fondo al mio racconto, così, senza preamboli, come se il nesso non fosse tra le due storie, ma tra le due persone avvicinate dalla stessa alba invernale.

"Sono venuto qui per vivere agli antipodi. Voglio dire, gli antipodi di me stesso. È stato come fare un buco nel mondo e ritrovarmi dalla parte opposta. Non facevo un cazzo dalla mattina alla sera, ho mollato il liceo artistico al quarto anno, spendevo i soldi di mia madre, con il piccolo particolare che di soldi, mia madre, non ne aveva. Mio padre negli ultimi dieci anni l'avrò visto quattro volte. Lui fa il tramviere, crede che fare il tramviere sia una specie di alibi perfetto, 'guarda che io faccio il tramviere,' mi diceva quando non sapeva cosa cazzo dirmi. E siccome non sapeva mai cosa cazzo dirmi, mi diceva sempre: 'Guarda che io faccio il tramviere'. Mentre lui faceva il tramviere, e mia madre lavava le scale del palazzo, io sniffavo eroina, più altre porcherie assortite. Un po' di spaccio, per tirare avanti e per il piacere di non essere l'unico inculato, a questo mondo. Non puoi sapere il piacere che mi dava vendere la dose a certi ragazzini, gliela davo e pensavo 'tocca a te, lo vuoi capire che tocca anche a te?'. Un giorno uno ci è rimasto secco. Uno che abitava due strade più in là. Non so se la roba gliel'avevo data io, ma penso di sì. E comunque nessuno è venuto a chiedermelo, perché il culo esiste anche per chi non ha fatto niente per meritarselo. Aveva diciassette anni. Io ventidue. Mi sono sentito una merda, finalmente. Sentirsi una merda è molto importante. Solo in pochi ce la fanno, ed è un vero peccato, perché sentirsi una merda può essere l'unica via di salvezza. Mi ha cambiato la vita, come vedi."

Attimo di silenzio.

"Io non mi sono mai sentito una merda, Federico. È grave?"

"Non buttarti giù. Vedrai che, se ti applichi, ci arrivi."

Mi sorride e mi sembra – lo so che è strano – un sorriso paterno. Di incoraggiamento. Penso: un'immigrata dalla Bulgaria mi ha risolto la faccenda del canapè di zia Vanda, un ex tossico che puzza di capra mi sta facendo un corso accelerato di redenzione... non ero io quello che doveva diventare ministro?

La caffettiera comincia a gorgogliare, il caffè a profumare di caffè. Gli dico: "Se devo essere sincero: mi ero fatto l'idea che fosse per via della lingua di fuoco, che sei venuto qui. Non perché ti sei sentito una merda".

"Be'? Non è lo stesso?" risponde Federico, più per istinto

che per convinzione. Riflette mentre apre la credenza per prendere due tazzine spaiate e il sacchetto di carta con lo zucchero. Si gira verso di me: "Sentirsi una merda predispone".

"Predispone? E a che cosa?"

"A capire che abbiamo bisogno."

"Bisogno di che cosa?"

"Per esempio, di luce."

"Non sarà mica un discorso religioso, Federico..."

"Ma va' là! Sto parlando di *questa* luce. Non hai visto che luce, qua fuori?"

"Viene dal cielo."

"Viene dal sole. Ed è dipinta in quasi tutti i quadri del mondo, mica solo quelli con gli apostoli e la lingua di fuoco. Ti piace Segantini?"

"Mi piace molto, Segantini."

"Dipingeva montanari, montagne, vacche e pecore. E c'è molta più luce nei suoi quadri che in quello che abbiamo visto insieme. Quello della Pentecoste."

Le capre, trecento metri più a valle, belano nel loro ricovero. Vogliono essere munte e poi andare al pascolo. Chiamano Federico. Gli dico che ho freddo e sono stravolto dal sonno, è meglio che vada a casa e lo lasci lavorare. Mi dice che alle capre stamattina ci pensano i Diurni, stanno per arrivare sulla Simca verde. Appoggia la mia tazzina piena di caffè fumante sul bracciolo del divano, poi con un gesto imprevisto apre la grossa coperta marrone ripiegata accanto e me la stende sulle gambe. La coperta è inaspettatamente morbida e profuma, ancora più inaspettatamente, di sapone di Marsiglia.

Dentro la piccola casa l'odore caprino dei vestiti di Federico è potente, e si confonde con quello del caffè e quello del sapone di Marsiglia. Sembra di stare in uno di quegli spacci di paese dove in pochi metri si sommano odori disparati, na-

161

ti lontano e riuniti in pochi metri senza badare troppo all'armonia dell'insieme – formaggio, caffè macinato, detersivo in polvere, pane, gasolio, vino.

Come da sempre mi accade a Roccapane, le sensazioni materiali prevalgono sui pensieri, li piegano alla loro potenza. Bevo il caffè, è buono, mi riscalda. Mi stendo sul vecchio divano, la stufa a legna è accesa e il tepore mi abbraccia. Con gli occhi chiusi sento i rumori della cucina – l'acqua del rubinetto che scorre, la legna che bruciando schiocca, il cozzo della moka contro la pattumiera per liberarla dai fondi, la voce di Federico che riprende il suo suono di flauto.

"Quanto a tuo padre," mi dice, "l'unica cosa importante è che non facesse il tramviere."

Sorrido, senza aprire gli occhi. Penso che non avrei saputo niente, di Federico, se non gli avessi raccontato di me, e questo cedere reciproco, questo abbassare le difese, si trasforma in un'irresistibile tranquillità. Come se mi avesse toccato l'angelo della quiete. Tutto si allenta e mi torna in mente quando, molti mesi fa, in piedi accanto al bosco, nel mezzo della notte, guarii dall'ansia di avere ragione uscendo per sempre, con un clic dolcissimo, dalla chat "Attilio contro tutti".

Sento una calma profonda, mi tiro su la coperta fino al collo e mi addormento.

30.

Nevica forte

Nevica forte. Guardo dalla finestra verso valle, i prati sono sepolti, gli alberi piegati, la traccia della strada quasi cancellata. Una luce bianca, abbacinante, ha ingoiato ogni altro colore. Nella stupefacente scomparsa di tutto ciò che non sia neve, vedo una piccola automobile salire lungo le ultime curve che portano a casa mia. Ormai è molto vicina, un centinaio di metri, senza lo sfarfallio accecante della nevicata potrei distinguere il volto del guidatore.

Arranca, le gomme slittano, non ce la fa. Sento, anche da dentro, il motore ululare in fuori giri, un piede maldestro sta cercando di forzare il trabiccolo a proseguire. La macchina sbanda, si intraversa, ferma la sua incerta corsa con il muso nel fosso. Le due ruote posteriori, sollevate di almeno mezzo metro, girano a vuoto, poi si fermano. Segue la breve stasi di ogni dopo-incidente, quella che precede i soccorsi. Infilo il giaccone, mi calco un berretto in testa ed esco di casa per dare una mano.

Mentre cammino nella neve alta vedo una portiera aprirsi e una donna di mezza età uscire faticosamente, puntellandosi come può cerca di vincere l'inclinazione innaturale dell'auto. Dall'altra portiera, in quasi perfetta replica, sbuca un'altra donna e prova a riguadagnare la strada. Entrambe, per risalire dal fosso, slittano e per reggersi in piedi affondano le braccia nella neve.

Quando le raggiungo stanno dandosi grandi manate sui vestiti e battendo i piedi a terra, per liberarsi dalla neve. Per prima cosa guardo le scarpe, come facciamo noi qui in montagna, specie con questo tempo da lupi. Polacchine nere con i lacci, totalmente inadatte. Sono vestite da città. Una, quella che guidava, ha i pantaloni, l'altra addirittura la gonna. Quella in pantaloni porta un montgomery marrone con i bottoni d'osso – non pensavo ne esistessero ancora –, quella con la gonna un cappottino grigio con il collo di lapin. Ha i capelli molto radi. Nessun cappello, mi guardano mentre la neve imbianca la loro messa in piega. È l'unica nota vivace, la neve in testa, sopra le due figure scure. Sono anche molto pallide. Potrebbero avere qualunque età compresa tra i cinquanta e i settanta.

"Tutto a posto? Vi siete fatte male?"

La guidatrice piega la testa di lato e fa un sorrisetto pudoroso, lo interpreto come la forma muta di "grazie signore, non si disturbi".

L'altra, quella con il collo di lapin, dev'essere il capo, perché risponde lei: "No, tutto bene, grazie. Forse dovevamo mettere le catene".

"Forse sì. O magari salire con una quattro per quattro, non con questa."

"Forse in discesa poi ce la facciamo."

"Se andate molto piano, forse sì."

"E per uscire dal fosso?"

"Adesso vedo se può venire il mio vicino con il trattore. Vi tira fuori in un attimo. L'importante poi è scendere senza toccare il freno. Mi raccomando, mai toccare il freno, signora."

Guardo la guidatrice, annuisce. Penso allo scempio che con le sue polacchine ha prodotto sull'acceleratore e immagino che dovrò nuovamente soccorrerle tra mezz'oretta, queste due, poco più a valle. Pazienza, si vede che è una giornata così.

Sto per chiedere come mai, con un tempo del genere, si sono avventurate quassù, quando quella con il collo di lapin, mi domanda se so dove abita il signor Campi Attilio.

"Attilio Campi," correggo.

"È lei?"

"Attilio Campi sono io. Campi Attilio, no, non sono io." (Nonostante gli sforzi, e il lungo tirocinio, e le accorate riflessioni, e i dovuti pentimenti, e le sofferte autocritiche, in certe circostanze non ci riesco proprio, a non essere stronzo.)

"Va bene, signor Campi. Come preferisce. L'importante è averla trovata. Dobbiamo consegnarle una cosa."

"Che cosa?"

"Un ricordo."

Un ricordo! Mentre la neve punge il naso e il freddo batte alla fronte, la parola risuona come una detonazione improvvisa. Un ricordo! Un altro! Come se non bastassero quelli che ho già! Chi, che cosa, pretende ancora di essere ricordato da me, e proprio oggi che la neve seppellisce il mondo e cauterizza ogni ferita?

"Il signor Gavagnin Saverio desiderava che le fosse recapitato questo suo ricordo."

Mi porge una busta gialla, estratta dalla borsa. Rimane lì con il braccio teso, la busta gialla galleggia tra di noi, nel bianco assoluto, sbatacchiata dalle folate gelide. (Mi rendo conto con costernazione che il cappotto ha anche i polsi di lapin.) Le corte dita della messaggera reggono salde la busta gialla, incuranti del gelo, come una bandiera.

Tengo le mani in tasca: "Non conosco nessun Gavagnin. Dev'esserci un errore".

"No, signore. Non c'è nessun errore. Saverio era molto

preciso. Ci ha lasciato una lista con sette nomi e i relativi indirizzi. Desiderava che queste sette persone avessero un suo ricordo. Fa parte delle sue ultime volontà."

Forse sono due pazze, penso. Due squilibrate che la tempesta di neve ha sbattuto fino a qui. L'altra non dice niente, rimane diritta in piedi, con il suo montgomery, e mi guarda muta. Fa veramente freddo, il turbinio della neve rende faticoso anche il respiro, non possiamo rimanere qui in eterno, faccio conto di dovere aggiungere al soccorso stradale anche una buona dose di pazienza, prendo la busta gialla e la apro, così la facciamo finita.

Dentro c'è un libretto, molto smilzo. Ma non si legge il titolo, perché sopra la copertina, attaccato con un fermaglio, c'è una specie di santino. Anzi, proprio un santino. Una fotografia listata a lutto. Sotto c'è scritto: *Gavagnin Saverio, 1934-2016. Il Signore governi il suo viaggio.* Lo riconosco immediatamente. È Beppe Carradine, con la gola di legno imprigionata da un sontuoso nodo di cravatta.

Non vorrei, ma sono emozionato. Davvero. Dunque, le tante discussioni solitarie avute con Beppe negli ultimi mesi, senza che lui ne avesse contezza, erano in qualche maniera corrisposte. Quel vecchio bigotto mi ha pensato. Non so quanto, non so come, ma mi ha pensato. Forse perché si era sentito offeso dalla mia lezioncina sui nomi degli alberi, forse perché non disperava di insegnarmi il nome di Dio (a proposito del quale queste due tizie, se non riesco a mandarle via in fretta, potrebbero anche sentire il dovere di spiegarmi che NON è persona distinta dallo Spirito Santo). Purtroppo Beppe non ha trovato di meglio, per farmi sapere che non mi ha dimenticato, che costringermi ad accettare – con la scusa che nel frattempo gli era toccato di morire – uno dei suoi assurdi opuscoli. Ma, come si dice, è il pensiero che conta. E adesso sono qui, in piedi nella neve, sbalordito, in cerca delle parole giuste.

Le due donne mi guardano, si aspettano che io dica qualcosa.

"Mi dispiace che sia morto. L'ho visto una volta sola, parecchi mesi fa, e mi sembrava che stesse bene..."

"Era cardiopatico grave. Sa com'è il cuore."

"Lo so. Ci vuole un attimo. Anche mio padre... Ma non stiamo qui, o congeliamo. Ora chiamo il mio vicino con il trattore. Intanto venite dentro, fa freddo."

"Non vorremmo disturbare, signore."

"Mica potere rimanere qui sotto la neve. Un po' di pazienza e la vostra auto è di nuovo in strada."

Il tempo di una tazza di tè e Severino, con il mio determinante aiuto, ha fissato una cinghia all'automobile: poi con il trattore l'ha rimessa in carreggiata, il muso rivolto a valle, pronta per il ritorno. Ho nuovamente raccomandato a quella col montgomery di non toccare il freno. Chissà se ha capito. Salutando le due donne resisto a malapena alla tentazione di estendere anche a loro, ad alta voce, la didascalia del santino di Beppe Carradine: *Il Signore governi il vostro viaggio*. Ne avrebbero un gran bisogno. Decido di chiedere a quella con il collo di lapin come mai, secondo lei, il signor Gavagnin ha voluto lasciare un ricordo proprio a me, che l'avevo visto una sola volta, e per mezz'ora al massimo. Ho l'impressione che mi guardi con una punta di severità.

"Lei non è il solo, signor Campi. Altre sei persone hanno ricevuto il ricordo del nostro povero fratello."

È vero, non sono il solo. Non sono il solo, ripeto borbottando mentre rientro in casa. Basterebbe questo precetto, tra i tanti inutili, per darsi una passata di umiltà: nessuno di noi è "il solo". Vedo la macchina allontanarsi, lentissima, e mi siedo al tavolo della cucina con l'opuscolo tra le mani. Mentre mi domando chi diavolo possano essere gli altri sei, stacco dalla copertina l'immaginetta funebre di Beppe Carradine e la infilo nella fessura tra la cornice della credenza e il vetro, accanto a una fotografia di Maria, a una mia foto mentre tengo un comizio e a una letterina di Natale che mi scrissero, tanti anni fa, i figli di Lucrezia. È il mio piccolo sacrario. Per qualche giorno Beppe non finirà nel fuoco, poi deciderò se tenerlo lì per litigare con lui, all'occorrenza, e confutare le sue fanfaluche religiose; oppure lasciare che anche lui raggiunga, cenere in mezzo alla cenere, le chiavarine e il carteggio tra mia madre e Sandro Losandro. Riposino in pace tutti quanti.

L'opuscolo invece lo sfoglio distrattamente, l'intenzione è dargli un'occhiata e buttarlo subito dopo nella stufa. Non faccio in tempo a leggere che un paio di titoletti edificanti, e dalle pagine aperte cade qualcosa. Qualcosa di leggero, di sottile, che scivola dalla carta e si appoggia sul tavolo senza un fruscio. Qualcosa che Beppe Carradine ha nascosto tra le pagine per me, solo per me. Sono due foglie pressate, come quelle che da bambini si conservano nei libri di scuola. Una foglia di carpino, una foglia di sorbo montano.

Titoli di coda

A quasi tre anni dai fatti narrati, Attilio Campi è diventato coltivatore diretto in proprio ed è uno dei primi produttori italiani di zafferano. Ha acquistato tre ettari di terreno e ne ha presi altri due in affitto dal suo vicino di casa, Severino Trebecchi. Nella sua azienda lavorano un operaio agricolo a tempo pieno e una decina di stagionali in occasione del raccolto e della lavorazione degli stami.

Non ha potuto impedire che la rivista "Country & Business" dedicasse alla sua attività un lungo servizio, esageratamente elogiativo, ma ha chiesto e ottenuto di non apparire nelle fotografie, con l'eccezione, inevitabile, di una vecchia immagine di quando faceva politica.

La sarchiatrice meccanica funziona bene, con qualche problema alle lame quando incocciano in un sasso.

Contattato da ex compagni di partito per sapere se avrebbe gradito un ritorno in politica, magari come ministro dell'Agricoltura, ha rifiutato.

In due occasioni ha accompagnato la moglie, Maria Mantovani, in Iran, principale produttore mondiale di zafferano, per uno scambio di esperienze con i produttori locali.

La giacca con i revers sciallati è stata abbandonata in una lavanderia di fondovalle. La titolare della lavanderia non riesce a ricordare chi gliel'ha portata e per mesi ha chiesto a tutti i suoi clienti se per caso quella giacca fosse loro, ottenendo risposte risolutamente negative. È ancora appesa in posizione terminale, ultima della fila a ridosso del muro, a uno dei lunghi tubi di metallo che reggono gli abiti pronti per la consegna.

Lucrezia Campi si è separata dal suo terzo marito, il finanziere franco-libanese Thierry Kharami, e vive da sola a Londra grazie a un cospicuo assegno di mantenimento. Per ingannare il tempo ha aperto, dalle parti di Brompton Road, un negozietto di gastronomia italiana dove vende, a carissimo prezzo, lo zafferano del fratello. Dei suoi due figli, Athina ha seri problemi con la droga e sta cercando di disintossicarsi in una clinica svizzera. L'altro, Nikos, sta benissimo e studia a Cambridge. Ha promesso allo zio di andare a trovarlo a Roccapane la prossima estate.

Il pastore Federico Pozzi si è sposato con una sua cliente, una signora milanese con due figli, divorziata, di dieci anni più grande di lui. Aspettano un bambino e le capre sono diventate duecentotrenta. I due Diurni pakistani, non in regola con le nuove leggi sull'immigrazione, hanno dovuto abbandonare l'Italia e hanno raggiunto alcuni parenti negli Emirati Arabi, dove lavorano in un'impresa di pulizie e non si trovano bene. La loro Simca verde, abbandonata con i finestrini aperti accanto alla rimessa per le capre, serve da ricovero per le galline. La signora milanese raccoglie le uova sui sedili sfondati e si ritiene felice.

La Bulgara, dopo un tentativo di restauro durato mesi, ha giudicato irrecuperabile il canapè di zia Vanda e l'ha bruciato, in compagnia di Attilio, nell'apposito spazio dei falò. Ha perso un figlio per aborto spontaneo e sta cercando di averne un altro. Severino vorrebbe che la moglie lavorasse meno, evitando gli sforzi, ma senza successo.

Gavagnin Saverio, in arte Beppe Carradine, è sepolto in un piccolo cimitero di montagna, in alta Val Trompia. La sua fotografia è ancora infilata tra il vetro e la cornice della credenza. Attilio ha in animo di andare a deporre sulla tomba una foglia di carpino e una di sorbo montano, ma non ne ha ancora avuto il tempo.

Il nome di Roccapane è fittizio, perché a nessuno venga in mente di andarci e rovinare la quiete che governa, fino alla noia, la vita del luogo.

La Terza guerra mondiale non è ancora scoppiata. Ma se ne sente nell'aria l'odore. Certe sere Attilio, finito il lavoro, alla sommità del campo di zafferano, guarda in direzione della pianura chiedendosi per quanto tempo ancora, a Roccapane, si potrà lavorare in pace. Poi raccoglie i suoi attrezzi e torna a casa.

Indice